VOLUME ÉLAGUÉ

D1377530

28.⁰⁰

Enfant-roi,

«tout, tout de suite!»

Carol Allain

Enfant-roi,

«tout, tout de suite!»

Les Éditions
LOGIQUES
QUEBECOR MEDIA

LOGIQUES est une maison d'édition reconnue par les organismes d'État responsables de la culture et des communications.

Nous remercions le Conseil des Arts du Canada, le ministère du Patrimoine canadien et la Société de développement des entreprises culturelles du Québec pour leur appui à notre programme de publication.
Gouvernement du Québec – Programme de crédit d'impôt pour l'édition des livres – Gestion SODEC.

Nous reconnaissons l'aide financière du gouvernement du Canada par l'entremise du Programme d'aide au développement de l'industrie de l'édition (PADIÉ) pour nos activités d'édition.

Révision linguistique: Michel Houle, Cassandre Fournier, Claire Morasse
Illustration de la page couverture : Joan Dumouchel – Galerie Saint-Dizier, Montréal, Québec, Canada www.saintdizier.com
Conception et mise en pages: Cyclone Design Communications
Graphisme de la couverture: Christian Campana

Distribution au Canada:
Québec-Livres, 2185, autoroute des Laurentides, Laval (Québec) H7S 1Z6
Téléphone: (450) 687-1210 • Télécopieur: (450) 687-1331

Distribution en France:
Casteilla/Chiron, 10, rue Léon-Foucault, 78184 Saint-Quentin-en-Yvelynes
Téléphone: (33) 1 30 14 19 30 • Télécopieur: (33) 1 34 60 31 32

Distribution en Belgique:
Diffusion Vander, avenue des Volontaires, 321, B-1150 Bruxelles
Téléphone: (32-2) 761-1216 • Télécopieur: (32-2) 761-1213

Distribution en Suisse:
Diffusion Transat s.a., route des Jeunes, 4 ter, C.P. 1210, 1211 Genève 26
Téléphone: (022) 342-7740 • Télécopieur: (022) 343-4646

Les Éditions LOGIQUES
7, chemin Bates, Outremont (Québec) H2V 4V7
Téléphone: (514) 270-0208 • Télécopieur: (514) 270-3515

Enfant-roi, tout, tout de suite!

Dépôt légal: Premier trimestre 2004
Bibliothèque nationale du Québec
Bibliothèque nationale du Canada

ISBN 2-89381-897-8

À mes frères et sœurs...

Ils ont su préserver la simplicité, la générosité et l'innocence de leur jeunesse. Pour les liens qui nous rapprochent et qui s'enrichissent par nos différences, ce livre est pour vous !

À tous les parents...

Apprenons à nos enfants à supporter le vide et rappelons-leur que les consolations faciles sont finalement plus cruelles qu'utiles!

Sommaire

Du même auteur aux Éditions Logiques

Changez d'attitude!, collection Mieux vivre, 1998.

Pour consulter le site de Carol Allain
www.carolallain.com
carolallain@videotron.ca

AVANT-PROPOS

« Il faut trouver un point fixe pour que la vie cesse d' être ce flottement perpétuel. »

PATRICK MODIANO

La décision d'entreprendre un tel ouvrage ne fut pas prise subitement. Elle est le fruit d'un long cheminement amorcé par des conférences auprès des commissions scolaires ayant comme auditoire l'ensemble du personnel dans le cadre des rentrées scolaires, et aussi lors de journées pédagogiques et d'assemblées générales des gestionnaires. Par leurs remarques et leurs questionnements sur les enfants et les exigences des parents, il m'est apparu nécessaire de tenter de trouver des explications pour nuancer cette situation devenue presque insupportable que sont ces enfants que nous ne pouvons plus toucher, réprimander et que nous qualifions «d'enfants-rois». Il y a eu aussi ces parents rencontrés par le biais des comités de parents, ainsi que dans d'autres milieux de travail et qui ont insisté sur leurs craintes, leurs inquiétudes et leur désarroi par rapport à ce que leurs enfants sont devenus. Les parents ne savent pas alors comment agir ni comment réagir. Certains d'entre eux se sentent responsables; pour d'autres, il s'agit de l'absence de valeurs, de l'obsession du paraître, des exigences de la société et de la disparition du dialogue.

Parmi les raisons qui m'ont incité à écrire ce livre, l'une relève particulièrement de ce que de nombreux enfants et adolescents m'ont fait part quant à la réalité de leur vie au quotidien. Bref, en voici un résumé:

Je me fais peur.

Mes parents me font peur.

Les choses me font peur.

La vie, le temps me font peur.

Je suis encouragé dans ma peur et c'est tout le quotidien qui tremble dans ma rétine et dans mes jambes.

Parfois, j'aurais envie de tout casser, d'abandonner sans raison et pourquoi des raisons?

Mes parents m'apprennent le pourquoi des choses alors que moi, je réplique: «Pourquoi pas!»

Les besoins de mes parents ne sont qu'abondance, consommation et indifférence.

> *L'innocence n'est pas une perfection dont on doive souhaiter le retour; car, la souhaiter, c'est déjà l'avoir perdue, et c'est alors un péché nouveau que de perdre son temps en souhaits.*
>
> SØREN KIERKEGAARD
> (1813-1855)

Je tiens à préserver ma jeunesse, mon innocence, mais on m'oblige à penser, à agir en adulte.

Mes parents oublient qu'ils oublient.

Je crie mon désespoir.

Je ne sais plus à qui faire confiance, à qui parler.

Je recherche seulement un lieu qui ne soit pas embrumé par la fiction.

Dans le même sens, il y a eu aussi ces nombreux parents qui vivent dans ce tumulte, dans cette implacable déchirure qu'est l'enfant-roi, et qui m'ont révélé une douleur, une angoisse et une volonté de comprendre. Je résumerai leurs propos ainsi:

La peur au visage.

La peur dans mon cœur.

Mille excuses pour les oublis.

L'abondance m'a rendu excessif.

L'égoïsme m'envahit.

Tous ces cadeaux pour toi.

On m'impute partout mille fautes commises.

Je voulais seulement que tu ne manques de rien.

Mon esprit attaché par les biens.

Mes regrets sont sans intérêts.

Je mets la faute sur toi.

Pardonne-moi.

Laissons, laissons parler mon chagrin et le tien,

Et de nos cœurs l'un à l'autre,

Essayons ensemble de triompher de nos silences...

Oui, je sais, dès le départ, vous allez interroger l'auteur pour savoir si moi, j'ai des enfants. Je réponds sans attendre: «Non!» Puis-je quand même vous intéresser à ce livre? Je l'espère! Des rues, des écoles, des polyvalentes, des institutions privées... que ce soit dans diverses provinces, dans les grandes villes, dans les banlieues, dans les quartiers défavorisés. Des tout-petits en pleurs, des enfants qui manipulent, des jeunes qui consomment, des adolescents en délire. Je les observe avec assiduité, je les poursuis tant dans leurs controverses, leurs contradictions que dans leurs réalités. Tout se passe comme s'ils avaient besoin d'être toujours ailleurs, d'être transportés et enveloppés dans une ambiance stéréotypée. Les parents m'en parlent, les enseignants fulminent, les éducateurs paralysent, les gens de la direction d'école consultent! Les journaux les citent, les publicités se les arrachent, les chaînes télévisées les provoquent. Les enfants-rois rentabilisent tout, ils captent tout, ils s'intéressent à tout! Ils en veulent toujours plus, ils en redemandent, ils sont dans l'attente de recevoir, encore et encore, d'un excès à l'autre. Me voici à vous décrire la page de couverture de ce volume! Qu'une brève incitation si pressante à vous le présenter vous surprenne, j'en serai d'autant plus touché. Partager ensemble des idées, des réflexions, des nuances, c'est déjà alléger les propos qui suivront.

Que vos sens accrochent dès les premières phrases, que vos nerfs réagissent, que vos pensées se mêlent et se démêlent et que les contraires de vos idées puissent interroger et argumenter humblement vos manières d'être et de faire, j'en serai alors ravi, enchanté et heureux d'avoir dérangé, insisté et pu interrompre vos préoccupations et vous arrêter quelques instants sur les enfants en devenir. Après tout, il s'agit des enfants, de vos enfants, de nos enfants... du présent et de l'avenir de notre société. Nous ne pouvons plus continuer avec les mêmes châtiments, c'est-à-dire ceux de l'indifférence, de l'égoïsme, de l'individualité et de la facilité. Je ne saurais affirmer si l'enfant-roi est issu de l'ennui, de la captivité des exigences de ses parents, de la compulsion exercée par les médias, de l'insuffisance, de la société de consommation, et j'en passe. Ce livre, je le souhaite, nous permettra d'éclairer la route, les sentiers qui ont mené à ce qu'on appelle l'enfant-roi, les nombreux oublis et les excès qui les caractérisent.

Depuis quelques années, mon itinéraire à titre de conférencier dans les organismes publics, privés et les associations me permet de mieux cibler les douleurs, les contraintes et les inquiétudes auxquelles nous sommes confrontés. Il me serait difficile d'affirmer que les nombreuses préoccupations des adultes relèvent davantage des nouvelles transformations que des exigences de leur profession; peut-être s'agit-il conjointement d'une série de facteurs à la fois personnels, sociaux et professionnels. Cette conciliation entre la vie personnelle et la vie professionnelle repré-

> *Le paradoxe est le moyen le plus tranchant et le plus efficace de transmettre la vérité aux endormis et aux distraits.*
>
> MIGUEL DE UNAMUNO
> (1864-1936)

sente, à elle seule, par sa finalité de réussir, de plaire, d'exiger toujours plus, une bonne partie des dommages de ce que nos enfants ont subi. En somme, nous ne savons plus laquelle embarrasse l'autre. Les deux sont intimement liées (vie personnelle et vie professionnelle), presque inséparables et ne peuvent être séparées par une pause tellement elles sont imbriquées l'une dans l'autre. Toutefois, il demeure un fait inéluctable: les enfants sont en train de percuter de plein fouet un mur de béton et sont exposés à des répercussions sans précédent.

Toute lecture est une lecture ciblée, c'est-à-dire en fonction d'un but recherché, et même exigeante et attentive à ne pas céder à la facilité de ses «courants» qui nous disent que ceci ou cela est bon ou mauvais.

Nous avons décidément besoin de la contribution de tous les types d'intervenants (enseignant, psychologue, psycho-éducateur, sociologue, historien, psychiatre, philosophe, médecin, orthopédagogue, pédiatre) pour tenter d'exprimer des idées, des orientations, des ajustements dans l'accompagnement de ce qui compose un enfant-roi. Vouloir entreprendre une réflexion sur l'enfant-roi et tenter quelques explications pourrait trahir une absence d'humilité, puisque, par définition, celui qui entreprend cette tâche atteint nécessairement son seuil d'incompétence. Il m'a semblé urgent, malgré tout, de courir ce risque.

Une première démarche a été exposée dans mon premier livre, *Changez d'attitude!* (Logiques, 1998, 2003), à savoir l'importance de revoir nos attitudes individuelles et collectives dans un élan de réflexion pour contrer l'individualisme, renouer avec les émotions, les convictions communes et mettre un terme aux excès. À ce titre, le lecteur y trouvera des idées et des formulations en continuité avec ce présent ouvrage.

Mais ce qu'apporte ce nouveau livre, c'est de dégager et d'expliciter les incertitudes et les confusions qui se sont greffées dans l'éducation des enfants et qui doivent, à mon sens, être éclairées, raffinées et, dans un élan de concertation, de répertorier les malentendus. **Si les inquiétudes affichées se concentrent surtout sur les jeunes, les problèmes apparaissent bien davantage du côté des adultes**[1]. Les interrogations sur la transmission des savoirs sont révélatrices du malaise social et éducatif actuel. On y trouve concentrés tous les paradoxes qui contribuent à entretenir ce malaise.

Cette délicate «intrusion» à décrire ce que les enfants sont devenus ne cherche aucunement à traiter de l'ensemble des matières qui sont ou devraient être considérées. Ce livre sert essentiellement à exposer des rappels, des repères comme parent, comme enseignant, comme éducateur, comme institution; il est d'autant plus nécessaire de clarifier ces repères afin d'éviter qu'ils ne demeurent totalement ignorés ou oubliés.

Ajoutons que les acquis scientifiques sur lesquels s'appuie ce texte sont non seulement provisoires, mais encore débouchent sur de profonds mystères concernant la vie, la naissance de l'Être humain et tous les paradigmes qui entourent le mot Éducation. D'ailleurs, dans l'étymologie même du mot «Éduquer» (l'origine latine: *ex ducere* – mener dehors), nous trouvons là peut-être matière à réflexion: «**sortir du chemin tracé d'avance**[2].»

Ce volume tente d'éveiller les consciences sur les dangers que sont la facilité, l'absence de règles éducatives et les conduites de consommation abusive auprès des enfants.

---

1. *Un enfant de répliquer: «J'ai longtemps attendu qu'il vienne vers moi. Il n'a jamais été capable de faire le premier pas.»*
2. *Trouver des moyens différents pour des enfants différents.*

S'interroger sur l'enfant-roi suppose qu'on accepte lucidement le paradoxe de la facilité et de la rigueur. Plus on lutte sur le front de l'incertitude, plus la profondeur de l'inconnaissable s'accroît. C'est pourquoi nous devons encourager la coopération dans toutes les branches de l'activité intellectuelle, humaine, sociale et, par surcroît, interpeller les parents, les éducateurs, les enseignants, dans la recherche de «solutions» ou de compromis raisonnables pour mieux accompagner les enfants. C'est ainsi qu'en ce début du XXIe siècle prend tout son sens cette citation de Pascal: *Travaillons donc à bien penser. Voilà le principe de la morale.*

INTRODUCTION

« *Le cerveau des enfants est comme une bougie allumée dans un lieu exposé au vent : sa lumière vacille toujours.* »

FÉNELON,

TRAITÉ DE L'ÉDUCATION DES FILLES (1687).

Quel est ce monde dans lequel nous sommes projetés, divisés, qui nous commande en même temps que nous le façonnons? Chaque époque agit et pense à l'intérieur de cadres arbitraires. La vitesse affolante avec laquelle le temps passe, la réussite, l'impératif de rendement, de productivité, les télécommunications, l'automatisation multipliés par le **rythme de fous**[1] dans lequel les adultes se sont engagés – ou encore avec lequel le monde des organisations les ont submergés – ont débordé dans les gènes des enfants d'aujourd'hui. L'enfant, désormais, est passé au peigne fin d'une normalité qui se fait toujours plus pressante et exigeante. Comme le précise Édouard Zarifian dans *La force de guérir* (Odile Jacob, 2001), «Quand son temps vécu entre en conflit avec des exigences sociales trop fortes, l'individu risque de développer des troubles psychiques profonds et invalidants.»

Dans la majorité des secteurs de la vie, nous sommes confus, à savoir comment agir, comment réagir, comment démêler le vrai du faux, le faux du vrai. Nous sommes obligés, en permanence, de proposer du neuf, comme si, dorénavant, l'humanité devait évoluer à la cadence des avancées de l'informatique qui voue à la casse les ordinateurs «vieux» de deux ans! La dernière

---

1. *Nous courons tout le temps! Aucune interruption, aucun répit! Chaque seconde compte. Se perdre dans le bruit, se perdre dans la nuit, n'importe quoi pour ne pas penser, n'importe quoi pour compenser, n'importe quoi pour oublier...*

réforme de l'enseignement est annulée par la nouvelle – celle du dernier ministre en place.

Nous sommes alourdis par le poids des apparences, des caprices et des insuffisances. Cette trilogie est en train de consommer notre mental, oriente nos croyances et falsifie nos bonnes intentions. Les enfants les absorbent, les justifient et les réclament.

Tout ce que nous avons défendu recule de jour en jour devant une barbarie, devant une inculture croissante, devant l'envahissement des adultes ensorcelés par l'envie, l'arrogance, le pouvoir.

Il est plus facile de nier les choses que de se renseigner à leur sujet.

MARIANO JOSÉ DE LARRA
(1809-1837)

Ne cherchons pas de coupables. L'enfant-roi est issu de ces parents pris en flagrant délit de mensonges, d'insuffisances et de désordres cherchant à tout contrôler, à tout acheter, et il éprouve ainsi un certain plaisir à les dominer. Des parents dominateurs, consommateurs, éveille l'enfant en l'engouement, la tentation, la convoitise et l'excès.

Le «Je» prend toute la place, se fortifie, s'enrobe, se ferme, se conditionne; il n'y a plus que le «moi» qui compte; on s'individualise; on se personnalise; on recherche des plaisirs, une multitude de moyens de se «distraire» (casino, vidéos, films, Internet, téléphone cellulaire, télé-avertisseur), des évasions, des espaces de plus en plus somptueux, incapables de silence et de recul. **Les enfants sont là à nous observer, ils nous prennent en photo, ils avalent nos «maladies», nos angoisses, et surtout, nos insuffisances. D'où l'appellation de cette nouvelle génération dite d'insuffisance, de sensation, de divertissement qui – aidée des marchands de la consommation, des médias – est issue de l'héritage même de ce que les parents ont transmis[2].**

Faut-il vraiment s'angoisser à ce sujet? Ne peut-on avoir confiance en la capacité des individus à trouver progressivement des systèmes de régulation? Penser que la situation est catastrophique, qu'une partie essentielle de l'humanité est en train de se perdre, est peut-être **la vision dépressive d'adultes**[3] qui ont l'impression que, s'ils ne contrôlent pas tout, le monde va s'écrouler. Cette manière d'être se présente comme une maladie de la responsabilité dans laquelle domine le sentiment d'insuffisance.

Aujourd'hui, j'observe un système de codes et de références composites (dont les foyers sont multiples: publicité, télévision, bandes dessinées, chansons...) qui s'ajoutent à l'angoisse des parents.

---

2. *Toutes ces années à demeurer à l'intérieur de la maison à entendre des propos qui ne les concernent pas... à enregistrer des humeurs, des angoisses, des préjugés et quelques délires qui, au fond, ne serviront qu'à accroître leurs élans de naïveté.*

3. *Les enfants peuvent souffrir de l'emprise négative exercée sur eux par des parents déprimés.*

Les enfants continuent à attendre une réponse. Comme leur langage, le véritable désir de ces jeunes est à l'inverse de ce qu'ils affichent. Derrière l'opposition, la provocation, le refus, on peut entendre l'attente, le désir et la peur de s'emparer du langage des adultes, comme de l'ensemble de leurs attributs, et la crainte de dévoiler leur maladresse et leurs difficultés à utiliser les instruments du pouvoir des parents. **Si l'on se cache, c'est bien dans l'espoir d'être trouvé**[4], et c'est un drame si personne ne vous cherche ni ne vous trouve, comme le soulignait déjà avec conviction le pédiatre et psychanalyste anglais Winnicott: «Derrière le masque de la provocation, de la dérision, se cache un enfant perdu qui demande aux adultes de lui proposer des choses très concrètes.»

Ne pensons-nous pas que les parents sont circonspects et n'osent pas répondre, par pudeur quelquefois, mais aussi parce qu'ils ont le sentiment qu'ils sont jugés par leurs enfants? Auparavant, cela ne leur venait pas à l'idée. C'étaient eux qui jugeaient les enfants, qui leur disaient quoi faire et ne pas faire. La relation a changé. Aujourd'hui, les parents se sentent mis en cause, jugés. Les jeunes ne savent plus quels sont les vrais critères, ils n'ont plus de **repères**[5]. Les adolescents d'autrefois avaient comme objectif de se réaliser dans

---

4. *L'adolescent bâtit sa personnalité en empruntant dans ce qui lui est transmis et visible autant que dans ce qui lui est caché.*
5. *Si l'enfant a le sentiment d'avoir des repères suffisants, il se sent considéré, ce qui à son tour entraîne l'impression d'être investi positivement.*

la même profession que leurs parents. Une nouvelle réalité a pris forme: ils visent davantage les professions bien rémunérées, les parents les ont incités à poursuivre leur rêve de posséder, d'être capables de s'autofinancer, de s'autogérer.

Maintenant, **la société de la vitesse**[6] favorise l'action et tout ce qui meuble l'espace du temps. Être inoccupé est une faute. Rêver, une absurdité. On n'accepte plus la réflexion, le silence, l'immobilité, l'erreur et toute absence (mère ou père) est souvent vécue comme un manque qu'il faut combler. Confronté à la contraction croissante du temps, à la réussite, à la performance, aux résultats, l'enfant peut avoir trois comportements: l'adaptation, l'accélération, la rupture. Malheureusement, nous verrons dans les prochains chapitres que la société dans laquelle nous nous sommes engloutis ne crée pas ces pathologies. Elle les favorise, dans certains cas, lorsqu'elles surviennent comme rupture d'une adaptation dépassée par les exigences sociales que les capacités individuelles ne peuvent assumer. Lorsque les attentes se propagent, se multiplient, s'accélèrent et se téléscopent, alors la manipulation est peut-être l'ultime tentative, douloureuse et inefficace, que l'enfant-roi propose aux angoisses des parents en **manque de manque**[7].

---

6. «*Quand les choses se passent trop vite, personne ne peut être sûr de rien, de rien du tout, même pas de soi-même.*»
(*Extrait de La lenteur de Milan Kundera, Gallimard, Paris, 1995, p. 134.*)

7. *Nous sentons si souvent qu'il nous manque tant de choses; et ce qui nous manque, souvent un autre semble le posséder.*

Je vous présente donc «l'enfant-roi», coincé entre une intériorité incommunicable, sans statut, sans raison et sans norme, et une extériorité de part en part rationalisée, aveuglée, chiffrée, imagée.

Livré à toutes les médiations et n'aspirant qu'àla demande des parents, ne suivant aucune règle, calculant toute chose, n'attendant que de profiter de l'impasse de ses parents, et s'abandonnant à des comportements que nous pourrions qualifier «d'extrêmes», voici «l'enfant-roi».

CHAPITRE 1

La mémoire du passé

« *Quand on ne trouve
pas son repos en
soi-même, il est inutile
de le chercher ailleurs.* »

LA ROCHEFOUCAULD

(1613-1680)

Chaque enfant porte en lui, pourrait-on dire, des évocations de l'histoire de ses deux parents, avant et après leur rencontre, et même de l'histoire antérieure. En même temps, il y forge ses questions centrales: «D'où viens-je? Qui suis-je?»; il pourrait dire, au fond, que ces questions bien actuelles lui viennent de temps et de lieux qui le précèdent, qui précèdent sa naissance. Que quelque chose qui précède son histoire soit si déterminant dans ce qu'il est devenu est en lui heurtant, ne trouvez-vous pas? Comme le soulignait Jean-Paul Sartre: «L'existence précède la naissance.» Ce qui veut dire que nous sommes beaucoup plus que des êtres biologiques. Nous sommes des êtres symboliques, c'est-à-dire des êtres influencés par les représentations de l'Histoire, de la nôtre et de celle qui nous précède. Mais aussi, cette mémoire qui se développe, dans le ventre de la mère, donne déjà quelques aperçus des années qui suivront.

La psychanalyse nous confronte au fait que ce qui nous est transmis ne l'est pas seulement par les voies génétiques, mais aussi par la force des liens de l'enfance, plus inconscients que conscients, avec, pour chacun, les dimensions de plaisir-déplaisir, sécurité-insécurité, confiance-méfiance, initiative-doute, identité-dispersion. Ce bain psychique saisit l'enfant dès sa naissance. Il est alimenté par les comportements de son entourage, notamment celui de ses parents, et imprégné de ce qui a été transmis à ces derniers par leurs propres parents. L'enfant est pris, dès ce moment, dans un réseau de sens et d'émotions véhiculées par des comportements et des mots dont le contenu concerne plusieurs générations. Tout le discours des parents, tous ces «non», toutes ces «plaintes», toutes ces «interdictions», toutes ces «facilités» trouvent refuge dans un coffret de l'âme d'un enfant. Également, toutes ces «caresses», ces

Qui ne s' émerveillera de l'abîme de notre mémoire qui engloutit tout et rend tout sans jamais se remplir et sans jamais se vider?

JAN AMOS COMÉNIUS

(1592-1670)

«mains» qui se glissent, toutes ces «paroles» qui procurent le calme, la douceur, la lenteur, sont aussi «enregistrées sur un disque dur» et serviront d'ancrage pour l'enfant en devenir.

Nos émotions jouent un rôle essentiel dans notre **mémoire autobiographique**[1]. Toute émotion affecte simultanément notre corps, notre comportement, nos sentiments et notre mémoire. Tout comme priver les enfants d'affection, l'absence de sécurité affective se traduit par des ruptures et des attaques contre eux-mêmes.

---

1. *«Se souvenir de tout serait aussi fâcheux que ne se souvenir de rien.»* William James, psychologue.

Nous avons, dans certains cas, reçu une réponse à notre besoin d'attachement et de sécurité lorsque nous étions de petits enfants. Tout le monde est marqué par les liens de l'enfance. Des choses importantes se sont jouées dans les premiers moments de la vie, dans la qualité des relations avec l'entourage, dans le plaisir de l'échange. Même si, apparemment, l'aspiration au changement remet en cause bien des valeurs, la trace de celle-ci n'est pas effacée parce qu'elle correspond au besoin de continuité et de sécurité, au besoin d'amour.

Les mots font les choses.

ÉRIC PLAISANCE

L'enfant se rend différent et devient un individu culturel par les questions qu'il pose sur les différences. Très petit, il est d'ailleurs terriblement à l'affût des différences, entre deux tonalités de voix, entre deux manières de le langer (la rapide et la lente), de lui donner à manger; même le tout-petit qui n'a pas encore accès à la parole active se met alors à chercher du regard la mimique pour reconnaître, pour trouver refuge dans le regard de l'autre. Le désir naissant de l'enfant est «désir de savoir», si bien que le désir, fondamentalement, est **quête de mots**[2].

---

2. *Les mères parlent davantage aux filles qu'aux garçons; voilà une des raisons qui expliquent que les garçons possèdent moins de vocabulaire.*

«Lorsque l'enfant commence à vivre, on parle autour de lui, on parle de lui, on lui parle alors qu'il ne sait pas parler. Tout ce qui est dit de lui, tout ce qui va être dit de lui, tout ce qui va être dit à son sujet, pour lui ou contre lui, est quelque chose qui va le marquer sans qu'il puisse riposter, c'est-à-dire se réapproprier le sens. Ce sens va lui échapper et va rester là, dans son inconscient, comme une espèce de masse de choses qu'il ne domine pas... Cette masse de choses l'habite tout au cours de sa vie.» Jean-François Lyotard, philosophe.

Personne, pas même le plus endurci des criminels, n'échappe au besoin d'être aimé. Être aimé, c'est avoir de la valeur aux yeux de quelqu'un. Personne n'échappe à cette exigence du narcissisme: l'estime de soi se construit au travers de l'image que l'on donne aux autres et que ceux-ci nous renvoient de nous-même. Tous, nous avons besoin de cet équilibre entre ce que les autres – la famille, l'école, l'univers professionnel, l'environnement social – exigent de nous et nos ressources internes, notre sécurité profonde.

On ne peut jamais mettre l'évolution d'un enfant en concordance directe avec une situation. Mais il est possible, en effet, de discerner des facteurs de risques, d'autant mieux que l'on a, depuis quelques années, beaucoup observé les relations entre le nourrisson et sa mère. L'on sait maintenant que ce climat de bien-être est parfois plus difficile à créer qu'il n'en a l'air, car l'arrivée d'un enfant, surtout du premier, est un facteur d'inquiétude pour la simple raison qu'il y a toujours le décalage bien connu entre l'enfant rêvé et l'enfant réel. Comment tempérer le comportement des parents pour qu'ils ne deviennent pas complices d'une trop grande sécurité, d'une trop grande proximité, d'une trop abondante consommation, d'une trop large facilité? On sait que l'enfant a besoin, pour se développer, de continuité relationnelle et d'une ouverture progressive à la différence. «Un enfant peut avoir du mal à supporter l'existence de deux pensées contradictoires qui s'appellent son père et sa mère. Quand il arrive à supporter ça, la voie lui est ouverte pour une recherche, celle de *sa* vie, où il peut se mettre dans le langage sur un autre mode.» Daniel Sibony, psychanalyste.

> *Les parents sont souvent méchants pour les enfants des autres quand ils n'ont pas de chance avec les leurs.*
>
> GUNNAR HEIBERG
> (1857-1929)

Ce que l'enfant recherche, c'est de se mettre à parler pour lui-même et non en écho à l'un ou l'autre de ses parents dans le seul but de plaire ou de déplaire. Tout projet d'éducation respectueux des enfants devrait viser à former des individus capables de vivre leur propre vie sans être à la remorque des autres. Les parents se doivent d'agir de façon attentive et responsable s'ils veulent jouer un rôle significatif auprès de leurs enfants. Les parents qui aiment et respectent leurs enfants ne peuvent leur demander de devenir, du jour au lendemain, leur confident, ni leur vis-à-vis, ni leur image.

Bien connues des cliniciens, les influences environnementales, éducatives et affectives ont aussi été démontrées par différentes recherches (hélas! rétrospectives et déclaratives, et non prospectives ou basées sur l'observation directe): des modèles parentaux eux-mêmes timides ou se soustrayant socialement, une vie de famille offrant peu d'expériences de socialisation à l'enfant, le fait d'être enfant unique représentent aussi un potentiel de risque. Il a également été prouvé que les parents étaient plus tolérants envers l'anxiété sociale des filles que celle des garçons: ils poussent volontiers leurs enfants mâles à s'affirmer tandis qu'ils tolèrent davantage les conduites d'inhibition des petites filles.

Le désir de pouvoir, le besoin d'être remarqué et de dominer existent aussi dans les relations familiales, entre gens mariés ou amants. Les couples se battent en des duels subtils et incessants. Chacun s'affirme aux dépens de l'autre, le culpabilise ou l'humilie. Le tyran découvre toujours quelque défaut et s'obstine sur un détail insignifiant qui détruit la valeur de ce qu'a fait l'autre. Il met son interlocuteur en faute et le culpabilise, comme au temps de la plus aveugle morale de la Contre-Réforme catholique qui paralysait

> *Il n'est jamais bon que les réponses précèdent les questions.*
>
> ALAIN ETCHEGOYEN,
> LA VALSE DES ÉTHIQUES
> (1991)

les croyants dans la terreur qu'un seul péché suffisait pour qu'au dernier moment, ils soient condamnés aux tourments éternels, même si leur vie avait été exemplaire. Il suffisait d'un rien pour déclencher cette catastrophe: un moment d'inattention ou de faiblesse et c'en était terminé, sans en arriver toutefois à ces extrêmes de cruauté mentale dans la vie quotidienne. Il arrive souvent que notre bonheur soit empoisonné par une remarque, un mot de ceux qui vivent auprès de nous.

Dans cet éventail des réalités des **rapports humains**[3], les enfants sont là, dans ce tourbillon sans fin où les plus et les moins, les forces et les faiblesses, les dominés et les dominants se rencontrent, se fracassent pour parfois provoquer, pour faire souffrir et détruire le simple plaisir de vivre, le simple plaisir d'être là à savourer le moment présent. Ce qui est compliqué nous passionne, ce qui est rare n'intéresse personne comme si, par notre aveuglement, nous

---

3. «*Notre propos serait de faciliter les rapports humains, et pour cela, de commencer à nous interroger sur notre passé; de tenter de nous défaire de l'emprise de la culture, et ainsi, de ne plus être dominés par ce passé, de faire face au futur à l'aide de moyens nouveaux et mieux adaptés.*»
(*Extrait de La danse de la vie, de Edward T. Hall, Seuil, Paris, 1984.*)

préférions la destruction, l'inattention, la provocation. Les enfants, plongés dans cet océan d'intrigues et de complots, s'empoisonnent, trempent leur conscience dans les excès de leurs aînés. **De ces abus, l'enfant est dominé par l'ambivalence, le paradoxe et la dualité**[4]. Que ce soit envers les autres, comme vis-à-vis de lui-même, dans l'amour ou pour les objets, les charges s'accumulent. Il ne sait plus choisir, il est tiraillé de l'intérieur, les images se multiplient, des détails infimes prennent de l'importance et s'ajoutent les uns aux autres.

L'enfant perçoit de quelque manière les points les plus pertinents de l'histoire de chacun des deux parents et en fait le creuset de ses questions[5]. Toutefois, il serait bon de nous rappeler que lorsque nous étions enfants (les plus de 40 ans s'en souviennent), jouer dehors, courir dans les rues, s'élancer sur les toits des maisons, escalader des murs, grimper dans les arbres, apprendre à nous débrouiller (peu de mots, que des gestes, que des griffes, des jouets brisés, des

---

4. *Ne restez pas dans le doute. Mettez toujours à l'épreuve les idées reçues.*
5. *«Nous avons tous une histoire, nous sommes tissés de cette histoire-là. Elle n'est ni bonne ni mauvaise, c'est une somme de bonheurs, de malheurs, d'incidents, d'accidents, de joies et de souffrances. Tant qu'on n'accepte pas que cette histoire soit bien la nôtre, on ne peut pas la vivre bien. Tant qu'on est dans la nostalgie d'un père ou d'une mère qui seraient différents de ce qu'ils sont, on ne peut pas avancer parce que toute notre énergie est au service de cette nostalgie. On reste sur place à ruminer sa frustration, on ne s'engage pas sur son propre chemin.»*
(*Extrait de* Paroles d'adolescents, ou le complexe du homard, *de Françoise Dolto et Catherine Dolto-Tolitch, LGF, Paris, 1997, p. 137.)*

vêtements déchirés, du papier chiffonné), n'était-ce pas le quotidien que nous avons connu! En revanche, aujourd'hui, les enfants vivent à l'intérieur et détectent davantage ce qui est dit autour d'eux, emmagasinent les paroles entendues, et ils construisent leurs pensées, leurs gestes et, bien souvent, leurs intentions en conséquence, tout en les intégrant dans leur propre existence. Autrefois, une activité par semaine était inscrite à l'horaire comme mention honorable à savourer en famille. Aujourd'hui, l'enfant-roi persiste à recevoir entre deux ou trois fantaisies (activités, cadeaux, les dernières nouveautés) par jour, sinon les répercussions sont sans précédent et les discussions vives, provocantes et déchirantes. J'exagère à peine!

> *J'avais grandi dans une maison où la vie n' était pas bien vue, car chez nous, on aimait à être correct plutôt que vivant.*
>
> FRITZ ZORN
>
> (1944-1976)

Les parents constamment sollicités d'avoir à dire oui – et surtout pas non! – doutent de la légitimité de leur réponse, voire de leur interrogation, impressionnés par la vigueur de l'affirmation de leur enfant grandissant qui revendique, réclame, récrimine et boude. Est-il pour autant pertinent de céder? Ou de refuser? Jusqu'où et comment faut-il négocier? Autant de questions, autant de craintes et d'incertitudes. Veiller au bien-être de l'enfant est un souci noble, mais si l'on oublie que les apprentissages et la découverte des réalités sont aussi à l'origine de nombreux efforts, nous risquons de fabriquer des êtres fragiles.

Or, de nombreux adultes se situent à égalité psychique avec leurs enfants et s'empêchent de jouer leur rôle éducatif pour apprendre la vie et les règles de la vie sociale. Il y a ainsi des lois objectives qui sont intangibles et qui ne se négocient pas. Pourtant, on laisse croire, dans le flou actuel, que tout se discute ou fléchit, selon ses intérêts.

L'individualité, la singularité de chaque enfant tient à son inscription dans la double lignée et est conditionnée par sa double appartenance. J'avance ceci: chaque enfant devient différent par les questions particulières qu'il se forge sur lui en rapport avec ses deux côtés: dans l'écart entre le père et la mère, sur les liens ou non-liens entre les deux familles (histoires, lignées, dans leur comparaison, dans leurs points de ressemblance et d'opposition).

Pendant des siècles, les pères ne se sont pas posé de questions. Ils enfilaient sereinement leurs habits, l'autorité, le pouvoir, le savoir, et s'en remettaient largement aux mères pour l'éducation des enfants. Et puis la montée de l'individualisme, la révolution féministe, les années 1980 sont venues contester leur statut. Le père définitivement déstabilisé entame alors une longue traversée du désert qui durera plus de vingt ans et qui, malheureusement, dure encore pour plusieurs d'entre eux. Mais les statistiques ne disent pas tout: elles mesurent les temps de vaisselle, pas les temps de tendresse. Il est bon de se rappeler que ce n'est pas le temps quantitatif dont on doit tenir compte avec les enfants, mais le temps qualitatif. Les enfants ne se souviennent pas de la durée, mais d'abord de la disponibilité, puis de l'affection, du dialogue, de l'humour, etc.

Quand on est père, si l'on n'est pas là dès le départ, **on prend un retard à vie par rapport aux mères**[6]. Cessons de tenter de ressembler aux mères. Les câlins, les joies des bains, l'ordre et l'autorité, c'est l'affaire des deux parents. Si les hommes ont des choses à construire, en voici une essentielle: les femmes n'acceptent plus d'être des «mères-devoirs» à côté de «pères-loisirs».

Les liens qui se tissent entre l'enfant et les parents sont directement proportionnels à l'intensité de franchir ou non les obstacles et les contraintes à venir. Les acquis (tendresse, douceur, contact, règles éducatives, rigueur) sont nécessaires pour agir et réagir contre les dualités de la vie. Désormais, tous sont d'accord (psychiatres, éducateurs, intervenants, enseignants): c'est dès la maternelle qu'il faut faire quelque chose. Pour les jeunes, les valeurs qui prévalaient jusqu'alors n'ont plus cours, les nouvelles significations ne sont

---

6. *En moyenne, les femmes consacrent deux fois plus de temps que les hommes aux enfants.*

pas encore là et viendront dans la prise de risques et l'expérience des limites.

Le monde change et valorise les comportements extrêmes; alors, les jeunes tentent de s'initier à ces derniers de manière à construire leurs propres règles, leurs propres conduites et leurs propres protections.

Cette recherche d'idéal (enfant idéal, parent idéal, famille idéale) a peut-être conduit à ce qu'on appelle l'enfant-roi. *Je ne peux pas m'expliquer moi-même qui je suis, parce que je ne suis pas moi-même*[7]. Ces enfants sont comme obligés de vivre sous la bannière de la perfection, de la performance, de l'image idéale et d'un environnement social qui nous observe dans les moindres gestes, les moindres variations. Les enfants souffrent, car il n'y a plus d'enfance. Il n'y a que des analyses, du théâtre, des images, des désirs auxquels les enfants se conditionnent et renaissent selon les demandes de ceux qui les entourent. Les enfants ne sont plus des êtres qui se développent, mais plutôt des êtres qui se questionnent. Le cortège de ces souffrances, si l'on y réfléchit, traduit un être qui s'arrête devant une situation, devant une relation, devant un objet, devant son corps, devant son comportement. **L'enfant vit arrêté**[8] selon les caprices ou les réponses des adultes.

---

7. «*Nos plus belles initiatives ne sont qu'une réponse au désir ou à la volonté d'autrui.*»
   (*Extrait de* Comment supporter sa liberté, *de Chantal Thomas, Payot & Rivages, Paris, 2000.*)
8. *L'absence de cohérence paralyse leur existence.*

«Chacun reconnaîtra cette présence immédiate et brûlante du regard d'autrui qui l'a souvent rempli de honte.» Dans *L'être et le néant*, Jean-Paul Sartre consacre de longues pages au trouble que provoque chez tout être humain l'observation attentive par ses semblables. L'anxiété sociale est, en effet, un syndrome universel, renvoyant aux sensations d'appréhension, de conscience aiguë et douloureuse de soi et de détresse émotionnelle ressenties dans les situations actuelles ou anticipées. Elle s'accompagne en général de comportements d'inhibition ou d'évitement, et d'une altération transitoire ou durable de l'estime de soi. L'enfant-roi est aussi construit par le regard d'autrui exercé malicieusement, douloureusement et de façon évaluative en fonction du meilleur, du beau, du chic, de la nouvelle mode... et qui peut revêtir différents masques d'intensité et de gravité variables.

Y a-t-il lieu, peut-être, de croire que derrière un enfant-roi se cache un enfant qui souffre? Il y a tellement de conditions à remplir, tellement de situations (réelles ou virtuelles) ou d'événements qui l'angoissent. Comme voir partir quelqu'un ou entendre ses parents se disputer, perdre la face devant les moqueries des camarades, se plier aux exigences d'un enseignant, subir des cris de reproche d'une mère, ressentir des impulsions de rage pour obtenir un objet. De se sentir différent: d'être en cheminement particulier (classe spéciale), de faire pipi au lit, d'avoir la peau noire, d'avoir les cheveux roux, d'être petit de taille, de ne pas s'accepter physiquement.

La souffrance est ce temps d'arrêt éprouvant où nous sommes tous placés devant le manque, la faille, le surprenant, l'incompréhensible, le saisissant. Les mots y font encore défaut. La souffrance, pour moi, si elle est l'arrêt pénible devant un manque, est aussi la quête de mots pour la connaître et la reconnaître. Beaucoup d'enfants souffrants me semblent percevoir d'eux-mêmes qu'il y a, dans leur vie, dans leurs actes ou dans leurs émotions, dans leurs symptômes, quelque chose à comprendre, quelque chose d'ouvert qui appelle... autre chose.

C H A P I T R E **2**

Tout faire pour eux !

*« Nos actes ne
sont éphémères
qu'en apparence.
Leurs répercussions
se prolongent parfois
pendant des siècles.
La vie du présent tisse
celle de l'avenir. »*

GUSTAVE LE BON

(1841-1931)

L'enfant-roi a-t-il une histoire, une origine? À qui la faute? Qui sont les responsables? Y a-t-il des coupables? Y a-t-il lieu de croire que le tout a commencé dans les années 1980, lorsque le couple a décidé de travailler à plein temps, rajoutant même des heures supplémentaires, de s'inscrire dans «J'en veux toujours plus!», «qu'ils ne manqueront de rien» et de s'approprier un système de «valeurs» basé sur l'argent, les grands espaces, les objets multiples? Mais que se cache-t-il derrière ce «toujours plus», «toujours plus cher», «toujours plus grand»? Est-ce la réalité d'une société axée sur le beau, le meilleur, le chic, l'unique qui a fait en sorte de multiplier les risques que les parents comblent aveuglément les demandes incessantes de leurs enfants? Est-ce la performance, la perfection et la réussite qui ont envahi l'esprit des gens à tel point que nous nous sommes engloutis dans une ivresse d'apparences, d'accessoires et de luxes au détriment des valeurs collectives? Ajoutez à cela vos propres observations, vos propres constatations et nous aurons peut-être une partie de la réponse de ce qui compose l'historique de l'enfant-roi.

Pour ma part, c'est la société tout entière qui, parce qu'elle a connu des mutations qui ont bouleversé un grand nombre de ses fondements culturels et sociaux, est à la recherche de nouveaux repères dans sa relation avec sa propre jeunesse. Les questions que se posent les parents, les enseignants, les éducateurs et bien d'autres dans leurs actions quotidiennes sont les problèmes de fond qui traversent aujourd'hui toute la société occidentale: que signifie éduquer, quelles valeurs transmettre, quelles places respectives pour la contrainte et le dialogue; quelle est la place des parents? Le temps est venu de nous interroger sur la validité de la transmission des valeurs entre les générations. Nous sommes tous d'accord pour dire qu'il y a de moins en moins de temps partagé entre parents et enfants. Il convient alors d'affirmer qu'on a les enfants qu'on mérite. Et, par conséquent, les jeunes d'aujourd'hui sont plus perturbés.

L'enfant-roi, bousculé par un horizon perpétuellement instable, fuit à l'infini dans toutes les directions. Pour autant, ce monde axé sur les biens et la consommation n'a rien perdu qui lui soit essentiel. La disparition du vrai ne suscite de regret que si on lui refuse ce qu'il demande. À la volonté de marquer son territoire de son sceau, se substitue un désir héroïque nouveau, celui de traverser les incertitudes et les altérations **d'une vie sans destin**[1]. Mais l'enfant possède-t-il les ressources nécessaires?

L'enfant-roi est convaincu qu'il connaît le pourquoi, le comment et le droit de faire, d'agir et de réagir. Il se croit parfait, unique et seul aux commandes. Par

---

1. *Une adolescente prénommée Maya me disait: «La vie? Une suite d'incohérences et de contrariétés que l'on trimbale à bout d'épaules dans un énorme sac à dos.»*

surcroît, l'indifférence des adultes sur les questions essentielles (l'éducation, la famille, les valeurs, le sens de la vie, la solidarité, la communauté) le rend alors plus attentif aux choses imprévisibles. La modestie de ses demandes lui confère une puissance inédite, celle de culpabiliser toute personne qui refuse son autorité, d'où sa volonté de perturber l'uniformité contraignante de nos vies.

> *Qu'il est plus aigu que la dent d'un serpent d'avoir un enfant ingrat!*
>
> SHAKESPEARE,
> Le roi Lear
>
> (1564-1616)

On peut dire que l'enfant-roi ne fait pas simplement une rupture dans les faits, il la prépare également dans son imaginaire même au prix de nœuds et de constellations paradoxales. Il prend un malin plaisir à casser, à rompre, à défaire ce qui est étranger à ses besoins, à ses attentes et à ses délires. Il se déploie sur un mode toujours à la fois conflictuel et inventif. Il met en jeu la notion de suppléance (éducateur, enseignant, gouvernante), la réinvention toujours à venir de ce qu'«être ensemble» signifie réellement.

La difficulté de cette attitude chez l'enfant-roi ne tient pas à ce qu'elle est axée sur les besoins de gagner, d'unicité, de grandeur, mais à ce qu'elle exige toujours à nouveau de «reconquérir son désir de liberté contre la servitude» (Étienne de La Boétie, *Le* discours de la servitude volontaire, Payot, 1976). S'en remettre au pouvoir, à la facilité, au confort: voilà la dérision! Au lieu d'accepter les différences, de respecter certaines limites, de cesser les lamentations, il prend mille visages, revêt le bonnet de la prétention.

Nous aurions souvent honte de nos plus belles actions si le monde voyait tous les motifs qui les produisent.

LA ROCHEFOUCAULD

(1613-1680)

La discorde qui surgit autant pour les parents que pour ceux qui lui servent d'encadrement engage nécessairement une dispute sur les règles éducatives. L'enfant-roi revendique une liberté en introduisant un désordre – aussi infime soit-il – dans l'organisation totalisante du collectif.

Que veut dire l'enfant-roi toujours prêt à s'exalter, à rebondir, désireux d'être en avant des autres, au-dessus de la mêlée? Intolérance, indifférence, ingratitude. Que vit l'enfant-roi qui ne se mêle pas au commun, qui s'en tient à l'état de fait, de gain, de possession? Rien.

La persévérance dans le recevoir doit aussi dire oui à la persistance d'apprendre à retarder les satisfactions qui accompagnent tout désir de vie. Ne chercher constamment de l'attention que pour soi, tel est le déséquilibre perpétuel qui constitue l'épreuve dans laquelle l'enfant-roi se glisse, sans tenir compte des conséquences qui le poursuivront sans relâche. Le confort que l'on attribue à l'enfant-roi dénote une inca-pacité de se confronter aux autres. Le bien auquel il est attaché n'est qu'une sécurité personnelle tout à fait illusoire. Or, renoncer à ce confort factice et illusoire, ce n'est pas perdre quelque chose, mais, au contraire, retrouver une situation dans l'espace commun et per-mettre aux parents d'agir et de réagir sur ce qui s'y déroule. Laisser continuellement les enfants s'impo-ser au questionnement est toujours le point où ceux-ci pourraient remettre en cause l'ordre déjà établi. S'ils sont animés d'une réelle indépendance, leurs inter-rogations tendent immanquablement à mettre au défi l'autorité en place. Le plus souvent, la réaction des parents à une telle attitude se fait attendre.

Les enfants de l'an 2003 ne sont plus intégrés. C'est donc le plus logique-ment du monde qu'ils de-viennent asociaux. Ils sont des millions d'enfants et d'adolescents qui ressen-tent la violence de leur métamorphose corporelle, prennent conscience de leurs capacités et ne trouvent pas de lieux où ils pourraient utiliser cette énergie pour

Ne te réjouis pas d' être riche.

Ne t'attriste pas d' être pauvre.

On a peur de perdre quand on a trop

et on a trop envie d'avoir quand on n'a pas.

HYON-PO YI

(1506-1593)

en faire du social ou de la culture. Or, une énergie sans forme qui explose en tous sens représente une définition possible de la **violence**[2].

Enfant-roi et sauvageon. Petit prince et barbare. Jamais les discours sur les jeunes n'ont été si contradictoires et si dramatiques dans l'excès. Des images médiatiques, telles celles qui montraient deux bandes en train de s'affronter dans un centre commercial, ont réactivé des considérations fantasmatiques. Comme si nous avions affaire à des enfants poussés en graine, **grandis trop vite**[3].

Les jeunes ont-ils tant changé[4]? Certes, l'entrée dans l'adolescence s'opère plus précocement qu'il y a deux siècles. Deux changements considérables ont affecté la vie des adolescents: l'abaissement de l'âge de la puberté et le développement, puis la généralisation des établissements scolaires. Si le second aspect est bien connu, on ignore souvent que l'âge moyen des filles au moment de leurs premières règles était de 16 ans en 1920, de 14 ans en 1955 et de 12 ans en 1995. Cette précocité est due, en bonne partie, à une meilleure alimentation. Mais cette évolution pubertaire, qui tend à se stabiliser, suffit-elle à

---

2. *Un enfant violent est un enfant à qui on a laissé croire que ses désirs étaient aussi les nôtres.*
3. *Ne faites pas grandir les enfants trop vite!*
4. *Pourquoi une société tout entière encourage-t-elle ses enfants à être des adolescents avant l'heure?*

marquer l'avènement d'une nouvelle jeunesse, tant il est vrai que l'adolescence est un fait social total pour rendre compte d'un phénomène complexe où les traits physiques, psychiques, culturels, mentaux, sociaux sont étroitement liés? «Une telle injonction à la précocité peut à la longue faire des dégâts parce que le danger de cette dissociation entre ce qui est vécu et l'évolution intrapsychique est que, après les signes extérieurs du jeune, on en adopte éventuellement les comportements les plus destructeurs.» Roland Beller, psychiatre et psychanalyste.

Médias, télévision, jeux vidéo, publicités circonscrivent les contours d'une culture jeune avec laquelle les enfants ont hâte de se familiariser. «Beaucoup d'enseignants, de médecins, de psychologues, d'éducateurs, constatent aujourd'hui qu'ils ont affaire à une génération adoptant des comportements avec un ou deux ans d'avance par rapport à il y a vingt ans.» – analyse Alain Braconnier, médecin-psychanalyste et auteur de *L'Adolescent aux mille visages* (Odile Jacob, 1998). Outre l'affirmation de soi, de ses choix, de ses amis, de ses habits, de ses sorties, l'un des signes de ce changement est le passage d'une identification à des modèles familiaux à une identification aux pairs, et ce, dès l'enfance. Désormais, plus rien ne distingue vraiment l'habillement des enfants de celui des adultes. Plus encore, nous rencontrons une clientèle qui a gagné en autonomie financière et chez qui l'argent remplace fréquemment les cadeaux à Noël ou aux anniversaires. Remettre cent dollars à un enfant de huit ans pour sa fête... Qui voulez-vous impressionner?

La pression normative est devenue plus forte, provoquant les manifestations d'un rejet plus radical envers l'individu différent par son apparence physique ou son mode d'éducation, ou affaiblissant la solidarité avec les élèves les plus en difficulté. Un durcissement qu'Alain Braconnier impute

> *La vie que l'on ne soumet pas à l'examen ne vaut pas d' être vécue.*
>
> SOCRATE
> (± 470-399 AV. J.-C.)

moins à une évolution psychologique qu'à un accès plus large aux vêtements de marque. Les parents suivent, entraînés dans cette course aux apparences afin de se distinguer de leurs voisins.

Ce rajeunissement interroge le découpage des âges. Pour de nombreux psychanalystes, «On est sûr que de 0 à 7 ans, on est enfant. Mais de 7 à 10 ans, on est dans une période où la qualification est floue.» Une génération que les Américains désignent dorénavant par le terme «*tweenagers*», un mot-valise signifiant «entre deux âges» (*Le Monde*, 14 avril 2001). En ce sens, la dernière année du primaire est une année de transition où cultures familiales et adolescentes sont en concurrence. Il n'est pas rare, en effet, de voir les fillettes de 11-12 ans jouer à la grande personne, en se maquillant ou en se teignant les cheveux, ni de voir des jeunes de cet âge venir à l'école avec un portable ou parler de «cool», «full-cool», «Yo», «C'est pas rap», ou s'adonner au sortir de l'enfance aux jeux de flirt (baisers ou caresses) après avoir revendiqué la permission de faire des «expériences». Leurs jeux aussi ont évolué. Finis les jeux de délivrance qui exigeaient une stratégie de groupe ou les compétitions mixtes! Place, désormais, en cour de récréation, aux mini-parties de *«aki»* et aux discussions entre filles.

L'enfant-roi est également issu d'une pression scolaire précoce ou d'une confrontation brutale avec les réalités de la vie. **Ne pas respecter l'immaturité des enfants leur fait violence**[5]. La société les met en demeure d'adopter des attitudes hyperdéterminées. Il est vrai de dire que les enfants connaissent plus de choses de la vie, mais moins en profondeur. Ils nourrissent beaucoup d'idées sur la société, sans se les être véritablement appropriées. J'insiste pour ajouter que je ne suis pas convaincu qu'ils soient plus responsables du fait qu'ils maîtrisent l'usage de la télévision, du téléphone ou de l'ordinateur car, en même temps, ils sont incapables d'expliquer pourquoi il y a le jour, la nuit, les saisons. Ils ne savent en aucun cas ce que signifie «jouer dehors».

---

5. *La vertu de l'innocence d'un enfant est le diamant qu'il doit préserver de toutes ses forces sans crainte d'être blessé.*

L'enfant-roi est celui qui provoque, qui dicte, qui ordonne aux parents d'assouvir ses besoins dans l'immédiat. Il ne peut attendre, il est angoissé par les amis (juste à côté de lui) qui ont des objets insolites. Il cherche à exécuter ses désirs au même rythme que la vitesse à laquelle ces programmes électroniques orientent ses gestes, ses pensées. Il ressent un besoin pressant d'être complimenté après chaque effort. Au supermarché, les tourniquets sont des jeux, les allées entre les rayons, des pistes de course. Leur tenir tête quand ils désirent une gâterie provoque des colères. «J'en veux, j'en ai besoin!», s'écrie Chanel, comme si elle redoutait que sa seule volonté ne suffise pas à exprimer l'urgence qu'elle éprouve. Pendant une longue période, cette formule s'applique à tout ce qu'elle désire: le nouveau pantalon de sa mère, un crayon de maquillage dans la maison de sa tante, des magazines dans une vitrine, le dernier disque techno. L'équation qu'elle énonce: «J'en veux, donc je suis!» n'est pas de l'ordre de la manipulation. Elle s'efforce

> *Quelque chose me choque en tant que parent. On ne nous a pas préparés à être rejetés par nos enfants.*
>
> LAURIE ASHNER ET MITCH MEYERSON,
> CES PARENTS QUI AIMENT TROP (2000)

tout simplement d'exprimer au mieux son désir de posséder tout ce qui lui plaît et d'augmenter sa valeur à travers les objets possédés.

À la maison, la coopération de ces enfants est inexistante. Ils n'acceptent pas les responsabilités et fuient les tâches ménagères. Leurs parents ou les adultes ne leur inspirent qu'un respect occasionnel. Nous sommes désarmés quand ils nous défient et nous marchandons, supplions et «encaissons» pour qu'ils rentrent dans le rang. Il faut souvent insister longuement pour qu'ils avalent leur nourriture. Les parents protestent, à bout de nerfs, pour céder ensuite aux cris. Cette proximité à ne point quitter des yeux l'enfant dans la maison, à l'école, avec les amis et cette peur constante du moindre incident viennent se greffer à la peau des parents comme un cancer qui génère diverses inquiétudes. Ce sont aussi des parents hypnotisés par leur rythme de fous qui achètent la paix à gros prix, des parents plus déprimés, plus seuls, donc plus vulnérables, plus malléables. **L'infantilisation... ne bouge pas, nous sommes là**[6]! De façon maladive, presque inconsciente, les parents vacillent entre le trop et le trop peu, désireux que les enfants ne manquent de rien. Les solutions sont aussi confuses les unes que les autres.

Nous sommes peu à peu, sans y prendre garde, entrés dans l'ère du soupçon. L'enfant-roi peut être

---

6. *Je me rappelle ce garçon de 11 ans, d'une intelligence stupéfiante, qui me disait en s'indignant: «Pourquoi les adultes infantilisent-ils les enfants?»*

entendu comme un prétexte conduisant parfois à l'excès. Excès d'idéalisation de sa progéniture, excès de narcissisme.

Comment pourrait-il en être autrement lorsqu'un enfant est censé combler ses parents et gratifier ses éducateurs ou ses enseignants? L'enfant-roi peut également être le résultat de certaines situations abusives, de la malveillance ou du rejet dont sont parfois victimes les enfants de

> *Le regard indifférent est un perpétuel adieu.*
>
> MALCOLM DE CHAZAL
> _____
> (1902-1981)

parents absents. L'enfant-roi s'inscrit dans cet interstice, entre la sinistre réalité et l'imaginaire idéalisé, entre les malheurs et les leurres.

Les parents ne sont pas démissionnaires: ils sont épuisés. Ils se sentent extrêmement coupables, car ils agissent et réagissent en fonction d'une image: celle de l'enfant idéal, du parent idéal, de la famille idéale. **Or, un enfant, c'est toujours un imprévu**[7]. Quand il naît, qui peut savoir ce que sera son parcours?

Les parents demeurent anxieux, car désireux de bien faire, d'offrir à leurs enfants le maximum d'affection, d'épanouissement, de perspectives d'avenir, au sein d'une famille harmonieuse qui se retrouve

_____
7. *Quand nous étions jeunes et que nous faisions une bêtise, c'était notre faute et nous devions l'assumer. Aujourd'hui, quand l'enfant fait quelque chose de mal, c'est de la faute des parents. N'est-ce pas ironique?*

Pour les parents absents : La nuit, tracés sur la peau des enfants, les mots doux qu'ils n'entendent pas.

SIMONE WEIL,
LA PESANTEUR ET LA GRÂCE

(1988)

alors vis-à-vis d'enfants rebelles et ingérables. Ainsi, fatigués, ils «achètent» la paix, évitant les conflits par la séduction, la négociation, la capitulation, la rémunération. **«Ça m'est égal, fais ce que tu veux[8],»** disent-ils, soumis à l'escalade des besoins de ces «chers petits» (société de consommation oblige). Les parents oublient ou abandonnent leurs droits, celui, par exemple, de se faire respecter, ou de freiner les exigences de leurs enfants. C'est là une attitude qui leur coûte cher, car l'enfant n'en augmente que davantage sa pression.

De plus, l'interdit a mauvaise presse. Les parents veulent «ne pas le heurter, respecter sa personnalité dès la gestation sous peine de le traumatiser», mais l'enfant se complique de conseils contradictoires. L'incroyable multiplication des savoirs sur l'enfant affole les parents. Du coup, l'autorité devient de moins en moins naturelle, la punition honteuse, l'interdit frustrant. Si la psychanalyse a contribué à rendre l'éducation moins répressive, les parents n'ont souvent

---

8. *Le mot d'ordre implicite, et parfois explicite, de notre société à l'égard des jeunes semble être: «Fais ce que tu veux, mais sois performant!» N'est-ce pas tragique?*

retenu que le côté permissif du discours. D'où un comportement qui tourne souvent à la démission et laisse l'enfant à sa solitude. Trop d'enfants s'auto-éduquent. Même son de cloche de la part des thérapeutes familiaux: «**Permissivité**[9]! Cette manne est tombée entre les mains de couples vivant la séparation, la monoparentalité, la recomposition familiale. Les parents attendent souvent de leurs enfants que ce soient eux qui les sécurisent.» Un père de se prononcer: «De mon temps, il y avait quatre à six enfants dans les familles. Moi, j'étais l'avant-dernier de sept. Il n'était pas question de s'opposer à l'autorité suprême de mon père, de ma mère ou de mes frères et sœurs qui s'exerçait sur moi, sous peine de me retrouver tout seul. Aujourd'hui, avec un ou deux enfants par famille, les parents hésitent à se les mettre à dos. Ce sont eux qui ont peur d'être rejetés.»

L'enfant-roi est totalement centré sur lui-même et veut être le premier et le seul à obtenir l'attention des

---

9. «Nous devons comprendre la force morale qui se dissimule derrière ces idées d'accomplissement de soi. Si on essaie de les expliquer par l'égoïsme, ou le laxisme moral, ou le relâchement par rapport à une époque ancienne plus dure et plus exigeante, nous nous égarons aussitôt. Parler de «permissivité», c'est rater la cible. On observe, bien sûr, un certain laxisme moral, mais il n'est pas particulier à notre époque. Il nous faut expliquer ce qui lui appartient en propre. Il ne suffit pas de dire que les gens sacrifient leur vie affective ou familiale à leur carrière. Cela s'est probablement toujours produit. La nouveauté, c'est que bien des gens se sentent aujourd'hui appelés à le faire, qu'ils pensent qu'ils doivent le faire et qu'ils rateront ou ne réussiront pas leur vie s'ils ne le font pas.» (Extrait de Grandeur et misère de la modernité, de Charles Taylor, Bellarmin, Québec, 1991, p. 29.)

autres. Timide et cachottier, ou singulièrement effronté en société, il s'assure, volontairement ou pas, d'un maximum de visibilité. En même temps, il est inattentif aux autres en tant qu'autres, parce qu'il ignore le fait qu'il est différent d'eux. Ce même enfant peut adopter, par exemple, un ton cavalier pour aborder ceux qu'il rencontre en tentant, si l'occasion se présente, de leur dicter leur conduite.

La conséquence des attitudes d'un enfant-roi contribue aussi, paradoxalement, à ce que certaines personnes adoptent inconsciemment l'allure extérieure de celui qui est adulte, mais seulement à titre de mise en scène ou de façade sympathique. On se prend alors au jeu d'être très sérieux, mais au fond de soi, on doute toujours que ce que l'on a fait soit vraiment significatif.

Il y a aussi beaucoup de parents qui ont l'impression que, malgré toutes les protections, leurs enfants se trouvent livrés sans défense à un

> *Nous devons travailler sans cesse à nous conserver cette joie qui modère notre crainte, et à conserver cette crainte qui modère notre joie, et, selon qu'on se sent trop emporté vers l'une, se pencher vers l'autre pour demeurer debout.*
>
> BLAISE PASCAL
> (1623-1662)

monde désormais inconnu et de plus en plus imprévisible. Drogue, sida, violence sont des dangers repérés. Comment informer, comment préserver les enfants? Peut-on les mettre en garde d'une manière efficace sans tomber dans la folie de tout leur donner? Une explication souvent apportée quant à cette situation impute aux adultes le sentiment d'insécurité, l'instabilité émotionnelle et la peur de ne pas être à la hauteur.

L'enfant-roi revendique aussi de ses parents le même attribut dont il a été victime par ces derniers, soit d'être unique. Il est le fruit de parents qui se sont laissés consommer par tous les attraits de la consommation. Ils ont tout en double autant dans la maison que sur leur propre corps. Ils souffrent également d'insuffisance, de prêt-à-porter, n'ont jamais assez grand; rien n'est suffisant. À peine deux ou trois années pour le comptoir de cuisine, la salle de bain remise à neuf, la tapisserie, les planchers, tout y passe. Pour d'autres, c'est l'enveloppe corporelle, les crèmes, les chirurgies esthétiques, les doses hormonales, les pilules miracles, les objets fétiches. La course se poursuit dans leur vie sociale, les costumes, les comparaisons occupent tout l'espace, toutes les conversations. Cela ne suffit pas. Leurs caprices continuent de les envahir dans leur profession. Ils s'affichent par la rivalité, le dénigrement, l'indifférence et le mépris. Les répercussions sont nombreuses, l'âme n'arrive plus, au bout d'un certain temps, à suivre tous ces délires, toutes ces évasions. Et les enfants, quant à eux, sont là à observer, à entendre nos lamentations, à crier nos inconforts, pour finalement capter nos moindres gestes, nos moindres erreurs, nos propos en les mettant à profit. Les enfants vont négocier les angoisses de leurs parents pour toutes sortes de besoins et par de nombreuses manipulations. Dans ces circonstances, l'enfant-roi prend le gouvernail et décide donc de prendre en otage le père ou la mère, ou les deux.

Face à ces enfants qui partent pour l'école, les enseignants ne savent plus comment réagir. La peur les envahit, la moindre erreur est pénalisée, la moindre égratignure peut être fatale. Ils se doivent de tout **justifier**[10] (rapport disciplinaire, devoir supplémentaire, retenue, évaluation, lettre, etc.). Ils en ont plus qu'assez de tout justifier, d'agir pour plaire, de se retenir. Il n'est pas question de savoir s'ils adoptent la bonne approche, le mot juste, le bon timbre de voix, la sanction appropriée et quoi encore! Faire équipe avec eux, voilà ce qu'ils proposent aux parents. Quant aux directions d'école, elles ont les mains liées dans le dos et leur conscience qui dicte: «Non, mais, c'est incroyable!», cherchent à oublier, à effacer. Nombreux sont les responsables des directions qui signalent au personnel enseignant et aux éducateurs de ne pas

---

10. *Eh vous, les parents! Qu'avez-vous à justifier quand vous êtes absents de la maison? Où lorsque vous déposez deux cassettes vidéo pour faire taire les enfants avec comme commentaire: «Je suis fatigué!» Que faisons-nous de la confiance entre les pairs? Un enfant a besoin d'une multitude d'approches incitatives et coercitives. Les contraires ne peuvent être que favorables à leur éducation.*

avoir de **contacts physiques**[11] avec les enfants, par peur de représailles des parents.

De retour à la maison, une liste d'objets sont offerts aux enfants (cassettes vidéo, sucreries, cadeaux) par les parents absents. Eux-mêmes essoufflés par le rythme des exigences venant à la fois de leur profession et le fait d'assumer leurs propres responsabilités, ils finissent par dire oui à presque tout. Pour les parents qui n'ont pas reçu l'attention et l'amour nécessaires dans leur enfance, ils se disent: «Je te jure que les enfants ne manqueront de rien!» Pour les parents défavorisés, c'est le combat continuel pour tenter de trouver un morceau à manger, des vêtements, etc., ou encore d'expliquer qu'il y a d'autres valeurs – car leurs enfants, habiles à observer, réalisent qu'ils n'ont rien (leurs camarades de classe s'amusent à le leur rappeler). **Pour les parents monoparentaux**[12], c'est la peur que les enfants ne reviennent pas, préférant demeurer chez leur père ou chez leur mère. L'enfant ou l'adolescent s'amuse ainsi à manipuler, comme bon lui semble, ses parents en fonction de l'offre et de la demande. Pour la mère et le père qui sont seuls, voulant réparer l'absence de l'un comme

---

11. *Chez l'enfant, 50 % de l'apprentissage relève du toucher, du geste approprié, de la proximité. Une main déposée sur l'épaule d'un enfant augmente non seulement sa réceptivité, sa compréhension des matières, mais le rassure, le sécurise pour la vie.*

12. *Quand il n'y a plus qu'une seule personne au foyer, les conditions d'éducation ne sont évidemment plus les mêmes.*

de l'autre, ils finissent, eux aussi, par tomber dans l'exagération. Pour les parents de famille recomposée, l'homme ou la femme ne savent plus à quel moment agir ou réagir, préfèrent se taire, s'éclipser, se volatiliser, de peur que l'enfant repousse, rejette ou refuse tout propos, toute argumentation. Les enfants croyant bien faire continuent le petit manège pendant des semaines, des mois, voire des années.

Le désir vient du manque, pour les enfants du divorce comme pour tout enfant. Il vient d'avoir à se débrouiller avec des parents imparfaits, non présents pour tout, limités. Le désir de l'enfant naît au creux des insuffisances de ses parents. Les situations de séparation parentale engendrent une condition paradoxale. On pourrait imaginer, précisément, que le fait de vivre à distance, dans deux maisons, avec deux modes d'organisation, deux types de valeurs ou de choix, donne du relief à la dualité parentale, à la dualité familiale, poussant ainsi l'enfant, parfois très jeune, à interroger activement les différences. Mais ce n'est vrai que si chaque parent respecte la singularité de l'autre, et renonce à «couvrir tout le terrain». Le divorce peut aussi engendrer une course à la symétrie, un mythe de l'égalité de bons parents, un déni de la différence.

Tout se joue sur la qualité du lien que chacun va maintenir avec l'enfant et que les parents vont maintenir entre eux. On peut être très en colère et blessé par l'autre, mais on peut quand même le respecter en tant que père ou mère: dans ces moments-là, plus que jamais, seul compte le respect que l'on porte à l'autre, conflit ou pas. Ce qui importe, c'est la qualité de la relation avec les enfants. Rappelez-vous ce qui a été dit un peu plus tôt dans le livre: la quantité de temps passé avec eux n'est pas proportionnelle à l'amour, ni même à l'influence éducative. L'idée d'une garde partagée entre les deux parents, qui prévaut actuellement, est compréhensible, mais nombreux sont les auteurs qui favorisent la stabilité chez l'enfant.

Un père est celui qui s'engage globalement dans l'éducation de son enfant. Une mère sait qu'elle n'est jamais tout à fait parfaite, tantôt trop, tantôt pas assez. Mais l'un et l'autre peuvent alors dire à l'enfant: «**Tu peux chercher ailleurs ce que je ne peux pas te donner, chez ton autre parent, ou son nouveau compagnon, ou chez tout autre adulte. Tu verras comme il est intéressant d'entendre et de voir des choses qui ne se ressemblent pas**[13].»

Hélas, tout se complique, tout dépasse la tenue vestimentaire, le téléphone portable, la dernière mode. Les parents sont aussi les chevaliers, les boucs émissaires. Les parents, croyant bien faire, les déposent partout où ils doivent se déplacer, ne peuvent s'objecter aux heures de retour à la maison; à peine s'interposent-ils dans leurs droits et leurs devoirs. Les parents pensent qu'avec quelques

---

13. *L'essentiel aujourd'hui: pouvoir compter sur autrui. À transmettre à nos enfants.*

gâteries les enfants seront satisfaits et surtout qu'ils pourront apprécier, pour ne pas dire les remercier; mais il n'en est rien! Rien n'est certain. Cette génération de l'insuffisance conduit inévitablement à de la colère. Nous fermons les yeux comme parents, comme institution, comme société; nous préférons attendre. On dit souvent qu'il faut laisser le temps au temps. Notre plus grande crainte ne serait-elle pas de savoir qu'un jour ces enfants, voire les enfants-rois, devenus grands et dont nous avions honte à cause de nos reproches, nos silences, formeront la société de demain?

Être obsédé par la rapidité à obtenir ce que l'on veut ne permet plus d'attribuer une importance relative aux événements ou aux tâches: tout devient important tout de suite. **Attendre**[14], espérer, projeter, tolérer, prévoir sont des notions qui seront bientôt obsolètes. Il faut tout avoir, tout de suite, et dans tous les domaines. **L'attente est devenue insupportable**[15]. Comment nos enfants réagiront-ils vis-à-vis d'un échec, d'un refus, d'une rupture, d'un conflit, d'un rejet?

Les adultes d'aujourd'hui vivent et agissent comme si toutes les heures se valaient, comme si les

---

14. *«Et si, un jour, la rupture s'impose, se dire qu'il n'y a jamais de perte absolue ni de deuil définitif, car personne n'est entièrement irremplaçable: l'expérience le démontre sans cesse. Il suffit de trouver la force d'attendre, car le temps est le véritable maître des passions.»*
(Extrait de La dépendance, de Albert Memmi, Gallimard, Paris, 1979, p. 182-183.)
15. *Chez les enfants et les adolescents, les processus de maturation sont plus longs, les personnalités plus impulsives, moins résistantes aux frustrations.*

saisons n'existaient pas et comme si toutes ces fonctions physiologiques étaient invariables. L'homme moderne vit comme s'il pouvait faire n'importe quoi, n'importe quand: dormir, s'activer, manger, jeûner, s'accoupler. Peut-on me citer un homme qui accorde du prix au temps, qui connaisse la valeur d'une journée, qui comprenne qu'il **meurt**[16] chaque jour? Dans ce tumulte, les enfants n'arrivent plus à saisir l'équilibre dans lequel ils doivent s'orienter et les repères sont plus ou moins inexistants. Comme le précisait Abraham Maslow dans son livre *Vers une psychologie de l' être* (Fayard,1972): **« *Une grande partie des perturbations chez les jeunes sont une conséquence de l'incertitude des adultes face aux valeurs*[17] ».**

---

16. *«J'inverserais volontiers le pari de Pascal. Vivre comme s'il n'y avait rien après, mais laissant grande ouverte la possibilité qu'il y ait "quelque chose".»*
(Extrait de Intimes convictions*, de Hubert Reeves, Stanké, Montréal, 2001, p. 24.)*
17. *Dans une société aux valeurs incertaines, l'adolescent est amené à faire de l'incertitude un idéal.*

CHAPITRE **3**

En finir avec la consommation à outrance

*« En fait, la satisfaction
additionnelle que l'on
tire de quantités
de biens de plus en
plus grandes décroît
rapidement à partir
d'une certaine limite. »*

JAN TINBERGEN

(1903-)

Il n'y a pas de violence plus subtile que la consommation. Tellement de facteurs poussent les enfants à la consommation! Que ce soit en Amérique du Nord ou en Europe, les 4-14 ans regardent deux à trois heures de télévision par jour, dont un quart d'heure de publicité. Et 42 % des 8-10 ans trouvent que la réclame publicitaire «donne envie d'acheter plein de choses», alors que 26 %, croient qu'elle aide à «convaincre les parents». Ce matraquage crée des besoins inutiles et des frustrations chez les défavorisés. Doit-on protéger les enfants contre un flot de tels messages ou, au contraire, faire confiance à leur esprit critique? Déjà, en Belgique, la promo pour enfants est interdite cinq minutes avant et après les programmes qui leur sont destinés. En Suède, la publicité pour les moins de 12 ans est refusée à la télévision.

Comme conférencier, lors d'une conférence auprès de la Fédération de l'informatique et des multimédias du Québec, j'ai tenté d'informer l'auditoire en proposant des repères au bas de l'écran pour informer les enfants de l'importance de jouer dehors, de participer avec les parents à certaines tâches, de considérer la bicyclette, le carré de sable, le soleil, le vent, la nature, comme des moyens à la fois de détente, d'expression et de convivialité. Au rythme où vont les choses, les enfants ne savent plus ce que c'est que de vivre en plein air, et leur existence est domestique sous plus de rapports que nous ne le pensons.

Les publicitaires sont de fins observateurs des faits de société. Ils s'emparent d'eux pour en faire un usage précis: les mettre en forme (publicitaire) pour informer (influencer) et faire vendre. La publicité n'invente rien, elle reflète l'idéologie dominante, les stéréotypes qui sont parfois très passagers et fluctuants. Ainsi, après l'image de la femme-objet, nous avons vu apparaître des hommes-objets, et actuellement beaucoup d'enfants-objets. Ces nouvelles images témoignent d'un changement des mentalités. Prenons, par exemple, la tendance Lolita-bimbo qui ne cesse de gagner du terrain. Micro tee-shirts, minijupes, piercings, lunettes, etc. Les clones de **Britney Spears**[1] ont entre 9 et 13 ans. Les préadolescentes sont désormais la cible privilégiée des marques vestimentaires. Cela constitue un phénomène de société qui, pour Pierre Angel, psychiatre, n'est pas sans danger: «Les tenues de ces fillettes ne correspondent absolument pas à leur évolution psychologique. Elles s'identifient à leur star préférée et rivalisent avec leurs copines, sans comprendre l'enjeu

> *Ce que je suis, je le sais : un monument de publicité.*
>
> GEORGE BERNARD SHAW
> ═══════════════
> (1856-1950)

---

1. *«Le problème, avec Britney Spears, c'est qu'elle plaît aux enfants de huit ans qui n'ont aucune notion de leur sexualité», dit Brandon Holley, rédactrice en chef du magazine* Ellegirl.

sexuel de leur attitude. La complicité des parents, qui financent ces accoutrements, est troublante. Ils encouragent cette érotisation et prennent du plaisir par personne interposée, comme si l'excitation provoquée par leurs filles rejaillissait sur eux-mêmes.»

Les modèles humains proposés par la publicité correspondent aux valeurs sociales dominantes. Elle fait appel à des personnages auxquels chacun voudrait pouvoir s'identifier. L'image publicitaire se présente souvent comme un noyau d'allusions: légendes, faits historiques, littérature, art, événements d'actualité... Ces références imagées se présentent comme des «emblèmes», porteurs de valeurs affectives.

> *La publicité est quatre-vingt-cinq pour cent de confusion et quinze pour cent de commission.*
>
> FRED ALLEN
> ════════
> (1894-1956)

Ainsi, pourrions-nous nous demander jusqu'à quel point le rôle de l'enfant dans la publicité n'est pas avant tout celui d'emblème. Mais emblème de quoi, de qui? Les choses sont encore peu claires. «Il serait intéressant de considérer l'image publicitaire comme une manifestation de fantasmes collectifs, et comme une sorte de rêve éveillé symptomatique de notre civilisation», disait Geneviève Cornu dans son livre *Sémiologie de l'image dans la société* (Organisation, 1990).

En quelques années, l'enfant est devenu la cible la plus prisée des hommes du marketing, tant la puissance d'achat qu'il représente impressionne. Saviez-vous que plus d'un tiers des 2-10 ans reçoivent de l'argent de poche pour une somme globale annuelle de un milliard de dollars en Amérique du Nord? C'est une manne non seulement rentable, mais qui persiste et dont les publicitaires n'ont pas envie de se priver. Depuis 1995, les marques dépensent des millions de dollars en achat de minutes de télé pour séduire les moins de 12 ans, soit 4-6 % du total des investissements publicitaires à la télévision.

La connaissance pure est inconnue de tous ceux qui ne sont pas dépouillés de leur moi et de toutes les choses matérielles.

Maître ECKHART
(1260-1327)

Ce besoin de consommer n'a jamais cessé de croître. Au contraire, il atteint désormais des proportions inégalées et se manifeste dans les domaines et les milieux les plus inusités. Depuis les années 1990, une quête toujours aussi grandissante de besoins et d'attentes s'est emparée des Occidentaux avec, comme conséquence, que nos angoisses ont plus ou moins trouvé preneur dans les objets rares, les voyages, les grands espaces, les retraites hâtives, la psychanalyse (nous cherchons à tout analyser), l'opulence

et tout le reste. Les années passent et tout se poursuit avec le même aveuglement, la même fascination.
Les McDo se multiplient, les chaînes de cinéma courent les grandes artères des villes, les marchands de
café nous «consomment de l'intérieur», l'accès aux
médicaments n'a plus d'âge requis, les centres com-
merciaux sont de plus en plus vastes, le spectacle des
grands événements (le Grand Prix de la Formule Un,
le Festival Juste pour rire, le Disneyland du Mont-
Tremblant, le Festival international de jazz, les
FrancoFolies) parcourent notre circulation sanguine.
On recourt à des hormones, des ajouts, des implants
pour paraître, pour «renaître», pour tenter d'empêcher
toute forme de vieillissement. Les exigences, les exci-
tations et les confusions s'entremêlent, se déchaînent
et nous invitent à la recherche de sensations, de désirs
toujours plus grands les uns que les autres, du divertissement, du **bruit**[2], de l'éphémère, à vivre dans un
état d'euphorie perpétuelle.

La transmission de l'expérience n'est possible
que si le savoir est demeuré stable et si les références sont les mêmes. Après la Seconde Guerre mondiale
(1945), nous étions convaincus que le bonheur
résultait davantage de la quantité de matériel en notre
possession que d'une quelconque attitude de bien-
veillance. Nous avons converti notre âme dans l'achat,

---

2. *«Le bruit est la plus importante des formes d'interruption. C'est non seulement une interruption, mais aussi une rupture de la pensée.» Arthur
Schopenhauer (1788-1860)*

l'accès à la propriété. «**Enrichissez-vous**[3]!» De buts, de mobiles, de gains... le monde bourgeois a ni plus ni moins donné la cadence, la fréquence, pour ne pas dire l'effondrement de la simplicité. De l'intelligence, il n'admire que la ruse. Rien pour rien dans cet univers uniformément mercantile; toute chose vaut ce qu'elle rapporte, et d'un homme, ce n'est plus son confident, mais son notaire qui connaît seul ce qu'il vaut. Quand ce monde entend parler de collectivité, il croit qu'il s'agit d'un fantôme.

L'enfant ne se contente pas de choisir des objets pour son propre usage, il influence aussi 45 % de la consommation de toute la famille: la nourriture, les vêtements, la voiture, le lieu des vacances, etc. Les enfants font partie de cette génération de ceux qui disent: «Veulent tout et tout de suite.» S'agit-il de prohiber la publicité? D'informer les enfants du message de consommation? De leur donner des outils pour la maîtriser et la décrypter? Il n'y a pas de réponses précises, il n'y a pas de coupables. L'autorité y est inutile, cela dépasse une décision, un plan d'action; cela relève davantage de l'intérieur, des valeurs que nous voulons déposer dans le cœur de chaque enfant. L'innocence, l'évasion, les contradictions qui sont des caractéristiques de la personnalité propre à l'enfant sont de plus en plus remplacées par des attributs d'adulte.

---

3. *Le portefeuille est à droite, mais le cœur est à gauche.*

Tous les objets qu'on lui procure, toutes les images qui interpellent ses sens ne pourront, en aucun cas, rivaliser avec la délicatesse des yeux portés dans le regard d'un enfant.

Un enfant n'a besoin de rien de vraiment précis, mais de tout ce qui est vraiment soigné: l'amour, l'inconditionnelle tendresse, l'incontournable vérité, d'innombrables caresses... Voilà l'essentiel! Ce regard qu'on porte sur lui, pas trop près, pas trop loin, juste là, à regarder, à déposer nos mains comme parent, à guider, à accompagner, à raffiner nos gestes, nos regards, nos propos. Cessons les pourquoi, les comment, les conseils; il y a différence, ils sont différents; son environnement a changé, ses coutumes, ses expressions, ses manières d'être sont le cachemire de ses secrets. Ne mettons pas en jeu nos valeurs, nos significations contre les siennes. Au contraire, cherchons plutôt à complimenter, à partager nos contraires, nos maladresses et parfois nos ressemblances.

La crise actuelle provient du fait que les parents ont assoupli des méthodes périmées qu'ils n'ont pu

> *Jeune, c'est par vanité qu'on se regarde dans les miroirs; plus tard, c'est par prudence; ensuite, par politesse, et finalement, par modestie.*
>
> RENAUD CAMUS,
> ÉLOGE DU PARAÎTRE (2000)

remplacer par des principes adaptés aux nouvelles réalités changeantes axées principalement sur les innovations technologiques, les sensations, les apparences et les exagérations.

Nos enfants, affirmant qu'il est de leur droit d'agir comme bon leur semble, s'insurgent contre toute interdiction ou limitation de leur liberté. Des heurts constants en résultent et perturbent les relations humaines en intensifiant les conflits.

L'habitude d'accorder aux enfants **une liberté sans restriction**[4] les a transformés en tyrans pour leurs parents devenus esclaves, même s'ils continuent d'en assumer toutes les responsabilités. Cette protection constante des parents, et le fait qu'ils endurent leurs insultes, leur ont retiré toute influence sur des enfants qui, ne comprenant pas leur malaise, ne fixent plus de limites à leurs caprices. La conséquence immédiate d'un tel état de fait est le sous-développement, chez l'enfant, de l'intérêt social (l'intérêt pour les autres). Cela ne fait qu'accroître la confusion et l'inadaptation.

Tout semble devenu mouvant. Ce qui était solide hier se dérobe aujourd'hui. De nombreuses enseignes incitent à la prudence et rappellent l'interdiction. Les parents ne savent plus où donner de la tête... ni par où commencer. Non, mais il y a quelqu'un qui peut nous dire quoi faire, comment faire, quoi dire, comment dire? Les enfants nous posent des problèmes

---

4. *Dites-leur qu'il y a des choses qui ne se négocient pas.*

d'une intensité toujours croissante, et nous ne savons plus comment les résoudre. Nous pressentons, en quelque sorte, qu'on ne peut plus élever les enfants comme dans le passé, mais nous ne savons plus quoi inventer! On nous submerge de suggestions contradictoires qui détruisent l'efficacité du dernier cru. «Je ne sais plus. Je n'assume plus. Je craque.» **On accuse les parents de démission: c'est de désarroi qu'il s'agit**[5].

Il n'y a plus de références collectives assurées, et chacun est mis dans la nécessité de trouver *sa* référence, *son* système de valeurs qui lui permettent de prendre la mesure de lui-même. Devant la disparition des valeurs reçues, il y a une période d'affolement, de vide relatif qui explique que beaucoup courent à tout vent d'abord pour trouver une image d'eux-mêmes. On le voit de façon caricaturale chez les adolescents qui se raccrochent à une image idéale de leur corps, notamment chez les filles, mais aussi dans ce besoin très actuel de se voir à l'écran pour se sentir exister. Même en faisant des bêtises, les jeunes casseurs sont toujours si heureux de se voir aux actualités télévisées que l'on peut se demander si ce n'est pas justement pour cela qu'ils sèment des graffitis un peu partout dans les villes. «Être vu!» La visibilité, actuellement, semble indispensable pour assurer l'être humain de son existence, et s'il ne se voit pas, il y a un flottement dans son identité. «Être vu!» Que ce soit par la démo-

---

5. *Il n'y a pas de parents impossibles! Juste des parents insécurisés.*

lition ou l'habillement, le tatouage ou le dessin, le sport ou les arts, l'enfant, tout comme l'adolescent, nous dit: «Regarde-moi, sinon...» Nous sommes à même de constater que l'enfant a besoin d'être soutenu à la fois par le regard des autres et par celui qu'il

Rien de grand ne s'est accompli dans le monde sans passion.

HEGEL

(1770-1831)

porte sur lui-même, d'autant plus que ses bases sont plus fragiles.

Quels sont aujourd'hui les supports de notre identité? La société? Elle est en recherche de ses propres miroirs, car les valeurs traditionnelles se sont diluées. C'est d'autant plus difficile qu'elle est **confrontée à l'éphémère**[6]. Et ce n'est pas facile à supporter.

Autrefois, nombre de valeurs étaient transmises par la vocation de nos parents. Par la suite, il y a eu l'éclatement des savoirs... Certes, il y a là bien des avantages par rapport à ce que nous avons connu: une plus grande liberté, moins de prégnance des rituels – mais on ne peut pas se passer, au fond, d'un système de valeurs, car c'est à travers lui que chacun évalue sa propre valeur. Aujourd'hui, se dépasser, se réali-

---

6. *De plus en plus, nous éveillons la conscience des jeunes sur le court terme: rien n'est durable. Leur réalité se traduit au jour le jour: rien de vraiment précis, aucune certitude. L'incertitude, l'insécurité et l'instabilité sont autant de mots qui s'imprègnent dans leur esprit et qui paralysent leurs espoirs.*

> *L'espèce de gens qui n' étaient pas heureux quand ils étaient enfants est l'espèce qui croit à l'intelligence, au progrès et à l'entendement.*

GERTRUDE STEIN

(1876-1946)

ser, se représenter (par la télé, le téléphone portable, Internet) englobent notre réalité et, par la même occasion, notre angoisse. Il y a une fascination à trouver un miroir qui nous assure de notre existence; il semble que nous soyons, désespérément, en quête de notre identité. Pourquoi? Parce que nous ne savons plus ce que nous voulons, ce que nous aimons, ce que nous estimons, ni ce que nous admirons; nous ne savons plus ce que nous sommes. Indéterminée, notre identité nous est devenue énigmatique.

Aujourd'hui, on est confronté à la différence comme jamais on ne l'a été. Qu'on le veuille ou non, tout le monde assiste, à travers les émissions satiriques ou les révélations de la presse, à une mise en cause permanente du monde adulte, celui des parents, des gouvernants, des organisations, de la religion. Ce n'est pas nouveau en soi, mais tout le monde le voit et l'entend, y compris les enfants. Cela ne veut pas dire que le sens critique de chacun soit affiné, mais ce dénigrement quotidien a nécessairement un impact sur tous. Certains ne vont pas le supporter et se réfugient dans d'autres certitudes. On ne peut être frappé par cette coexistence de cette vague de dénigrement et de scepticisme et du retour en force des fondamentalismes, des sectes, voire, plus banalement, de l'astrologie et des croyances magiques.

Les enfants brûlent d'envie de nous plaire et les parents, quant à eux, sont tiraillés **entre le désir de bien faire et la volonté de faire simple**[7]. C'est comme si l'écart se creusait entre les limites que nous devons imposer aux enfants et, dans une sorte d'aveuglement construit par notre société de consommation ou simplement par envie, par ignorance, nous optons pour la facilité, l'insouciance, l'impardonnable indifférence. Les jeunes manquent de repères pour établir leur échelle de valeurs à travers la trop grande diversité de croyances et de pratiques qui les entourent. Ils n'arrivent plus à saisir ce qu'il faut apprendre, comprendre ou doser! Les enfants ont un sentiment d'insuffisance permanente. Qui dit «insuffisance» dit «recherche» et il convient alors de dire que les jeunes nous «cherchent», parce qu'ils sont intensément en recherche et leur demande ne peut s'exprimer que par le refus ou la provocation. Cette insuffisance se traduit malheureusement souvent par la violence, la haine, des expériences hâtives (sexualité), des activités

---

7. *À force de vouloir plaire à tout le monde, cette attitude s'accompagne d'une grande lucidité qui peut devenir, le moment venu, cassante, outrageusement pénible et culpabilisante.*

(*party-rave*, jeux de hasard, casino, pornographie) qui dépassent largement les valeurs communes et partagées auxquelles se réfèrent des parents soucieux de leurs enfants.

La consommation entraîne bien souvent la culpabilité et celle-ci renforce la violence. Beaucoup d'adultes croient percevoir que les comportements transgressifs des jeunes sont l'effet d'une absence ou d'un manque de sentiment, de remords.

Est-ce le débordement de nos folies personnelles, de notre entêtement à réaliser nos propres désirs comme adulte, comme parent, ou encore, est-ce le manque, la rupture, la déchirure d'un passé, d'un présent ou d'un héritage non satisfait qui nous conduisent à agir sans discernement? Il ne saurait y avoir de discernement juste sans la considération expresse des opposés.

«Une nouvelle ère commence, affirme Jeremy Rifkin, auteur de *L'âge de l'accès* (La Découverte, 1998). Nous en viendrons de plus en plus à concevoir notre vie économique en termes d'accès à des services et à des expériences, et de moins en moins en termes de propriété.» L'époque où la possession des biens de consommation déterminait le statut social est bien en train de se terminer. D'abord parce que les jeunes veulent se sentir libres, sans crédit sur le dos. Et

---

8. *Il est bon de se rappeler que lorsqu'on vieillit tout rapetisse… apprenons donc à vivre dans quelque chose de petit! Veuillez en faire un sujet de discussion avec vos enfants. Merci à l'avance!*

puis, dans une société où l'on court sans cesse après le temps, en plus d'avoir vu évoluer leurs parents dans la surconsommation, les jeunes préféreront, je l'espère, louer, vivre dans de **petits espaces**[8], voyager, côtoyer la part obscure de leur personnalité, déchiffrer le sens de la vie, le plaisir des passions, cesser de rechercher des compensations, éprouver le sentiment de respirer.

Le défi des enfants d'aujourd'hui et de demain sera d'établir un équilibre entre le temps pour les autres et **le temps pour soi**[9]. «Je suis pressé.» «Je n'ai pas le temps.» «Vite, vite.» «Je vais être en retard.» «Comme le temps passe!» Ce sont là des phrases que les parents ont enfoncées dans le cerveau de leurs enfants et qui expriment l'incapacité ou la difficulté à répondre aux demandes extérieures. Pendant plusieurs générations, nous avons tenté de fuir l'ennui. Nous courons partout, multipliant les activités, les achats, essayant sans cesse de tout finir dans le temps prévu, toujours débordés. Toute cette agitation est de l'ordre du divertissement. L'homme croit poursuivre un but, mais il ne cherche, en vérité, qu'à se perdre et s'oublier dans ce mouvement.

C'est à espérer que nos enfants sauront que l'agitation nous détourne des vrais biens. Inconsistance de nos bonheurs fondés sur un sol aussi mou-

---

9. *«Et toi, sais-tu qui tu es?»*

vant que les opinions de la foule, fragilité de nos états d'âme tout entiers préoccupés de ce qui ne dépend pas de nous.

La frénésie que nous employons afin d'avoir toujours les dernières informations, les derniers modèles de voiture ou d'ordinateur est symptomatique de la façon dont nous plaçons notre bonheur dans ce qui n'est pas en notre pouvoir. Et nous voilà heureux ou malheureux selon les cours de la Bourse, les résultats des élections ou le nombre de messages électroniques reçus le matin. L'agitation, c'est le trouble. La consommation passive des images qui circulent est un puissant facteur de désintégration collective et d'aliénation individuelle.

Aussi, ce développement des sciences et des techniques ne fera-t-il que perpétuer et continuer la plus ancienne tradition, qui consiste à inventer de plus en plus d'artifices pour avoir sur le monde de plus en plus de pouvoir.

Tiraillés entre les exigences, nous nous essoufflons dans des mouvements contradictoires. Est-ce que les enfants devront choisir la vitesse ou l'immobilité? Et si la question n'était pas d'aller vite ou lentement, mais plutôt de trouver le bon rythme? **Tâcher de devenir, selon le mot de Pindare, ce que l'on est, c'est travailler à trouver en soi-même le temps juste qui permet d'accueillir le présent et de s'inventer, sur ce fond, un futur qui ne soit pas simplement subi**[10]. Quand la contrainte des circonstances te laisse comme désemparé, écrivait Marc Aurèle, rentre en toi-même aussitôt et ne perds pas le rythme plus long-temps qu'il n'est nécessaire.

---

10. *«Certes, puisque nous sommes faits de telle sorte que nous comparons tout à nous-mêmes, et nous-mêmes à tout, il s'ensuit que le bonheur ou l'infor-tune gît dans les objets que nous contemplons, et dès lors il n'y a rien de plus dangereux que la solitude.»*
(Extrait de la citation de Pindare dans Les souffrances du jeune Werther, *de Goethe, Gallimard, Paris, 1954, p. 95.)*

CHAPITRE **4**

L'éducation

« *Les enfants ont plus
besoin de modèles
que de critiques.* »

JOSEPH JOUBERT, Pensées, 1842

« *Si apprendre,
c'est faire naître,
empêcher d'apprendre,
c'est tuer.* »

PLUTARQUE (V. 50-125 ap. J.-C.)

Y a-t-il lieu de dire que le déclin de la croyance en la légitimité de l'institution scolaire s'est peu à peu installé dans l'esprit de tous: des parents, des responsables politiques, des élèves et des étudiants, des enseignants eux-mêmes? Le monde de l'éducation est saisi à son tour, depuis quelques années, par une série d'influences multiples: l'explication génétique, les prédictions, l'environnement social, les parents en délire, les organisations de travail, et j'en passe. Le secteur éducationnel se livre lui aussi à un inventaire des facteurs environnementaux qui tient lieu d'explication causale, voire «naturelle», d'une situation problématique constatée chez tel ou tel enfant. Ainsi, la violence, le décrochage, tout comme l'échec scolaire, les troubles de l'attention, l'hyperactivité sont rapportés non pas à ce qu'on appelait jadis la bonne ou mauvaise éducation, mais à ce qui, dans le milieu, y prédispose. La prédiction prend une tournure extrême. On autorise les

Le plus grand et le plus difficile problème qui puisse se poser à l'être humain, c'est l'éducation, car le discernement dépend de l'éducation, et l'éducation, à son tour, dépend du discernement.

EMMANUEL KANT

(1724-1804)

éducateurs à des diagnostics prédictifs. L'enfant est finalement considéré comme objet et victime de son environnement, de son origine, d'une hérédité sociale.

Les parents disent: «L'école prépare mal nos enfants, ne leur transmet plus de valeurs, donne trop peu ou trop de travail; les enseignants ont la belle vie, ils ont beaucoup de vacances; il y a trop de jours de congé; l'enseignement se dit gratuit mais nous coûte très cher; l'école est un cercle de filières, de sélections, d'expositions, etc. Nous en avons plus qu'assez de ces comparaisons, de ces délires. Mais, au fond, **est-ce nous les coupables**[1]?»

Où en sont les responsables politiques? L'école gaspille les moyens; l'école est une entreprise peu rentable; quoi que nous fassions pour eux, les enseignants sont mécontents. Comment entretenir un milieu éducationnel avec tous ces parents dont les principales préoccupations sont l'excellence, le succès, la réussite? Apprendre, c'est secondaire. Réussir, c'est prioritaire.

Comment les élèves et les étudiants réagissent-ils? L'école les ennuie; l'école prend tout leur temps;

---

1. *«La tendresse est mal orientée. Les parents devraient lui donner un cadre. L'enfant rentrerait enfin dans un mode réel qui lui ferait de l'opposition. Si l'amour ne dicte pas une loi, les enfants se cherchent, deviennent cotonneux. Et pour eux, la seule façon de répondre à cette recherche intérieure, c'est par la violence.»*
(Extrait d'un article du journal La Presse du 22 septembre 2001 écrit par Marie-France Léger, entretien avec l'auteur du nouveau recueil, L'enfance incertaine, de Louis Roussel, Odile Jacob, Paris, 2001.)

ils considèrent qu'ils n'apprennent rien, et que, de toute façon, après, c'est le chômage. Vite! Donnez-nous l'essentiel, c'est-à-dire quelques mots, quelques phrases, rien de spécifique... laissez tomber l'histoire, les mathématiques, la littérature... à quoi bon, pour faire quoi?, semblent-ils dire.

Qu'en pensent les professeurs? Les élèves ne savent plus rien; les parents s'en lavent les mains, ils nous délèguent toute leur responsabilité éducative; nos carrières sont planes, répétitives, sans changement possible; nos salaires sont parmi les plus bas; nous n'intéressons personne. Comment dire, comment réagir et à qui plaire en premier? À l'enfant ou aux parents? Nous sommes coincés de l'intérieur. Nous vivons à la limite. Il y a tellement d'écart entre la réalité scolaire et les savoirs véhiculés par notre **formation académique**[2] que nous nous demandons si nous ne devons pas plutôt faire un stage avec un comité de parents avant d'exercer notre profession dans les classes. Après tout, ne devons-nous pas plaire aux parents d'abord! Cela demande réflexion, n'est-ce pas?

Toutes ces paroles de doute et d'amertume sur l'institution scolaire ne manquent pas de raisons, de «bonnes» raisons, si l'on veut. À chacun **ses** raisons de critiquer l'école. Satisfactions et gratifications individuelles sont aujourd'hui devenues des impératifs. Ils

---

2. *Il y a toujours un risque de ne pas remettre en question les perceptions et les explications qui se sont transformées en habitudes.*

sont érigés (pas seulement par les médias) en ordres sociaux: sois épanouis, sois satisfait, désire, choisis ta voie, tes opinions, tes cours, ton avenir. Dès lors qu'ils sont injonctions, ces termes se vident de leur sens, perdent leur valeur, se réduisent à des images, des stéréotypes, des modèles. «**J'ai à penser à mon bonheur (adulte ou enfant), c'est ça qu'on attend de moi[3].**» Et chacun de nous, même à son insu, s'y conforme.

Nous pouvons certainement en dire autant de la réforme. Elle ne peut concevoir que sa composante théorique, se justifier par le savoir, la connaissance. Elle doit aussi créer sa démarche sur le plan de la créativité, de l'histoire et de la philosophie. L'enseignement ne doit pas viser l'accumulation de connaissances, mais les organiser en fonction d'axes stratégiques essentiels en reliant entre eux les champs de connaissance. N'est-ce pas l'orientation prise par la réforme scolaire? Elle doit viser également à exposer les propos de Jean-Jacques Rousseau dans le livre l'*Émile*: «Je veux lui enseigner la condition humaine.» Cette nécessité humaniste revêt une importance particulière à notre époque. La prise de conscience de notre condition humaine se fait peut-être plus

---

3. «*Bien souvent, nous trouvons la Vie amère, mais seulement parce que nous sommes nous-mêmes assombris par l'amertume; nous la jugeons vide et vaine, mais seulement dans les moments où l'âme s'en va errante, en des lieux désolés, et lorsque le cœur est enivré par un moi trop envahissant.*» (Extrait de Le jardin du prophète, de Khalil Gibran, Casterman, Paris, 1979, p. 14.)

pressante aujourd'hui, compte tenu de la diversité avec laquelle nous devons nous familiariser. **Apprendre à être en relation**[4] représente sans aucun doute le défi le plus urgent dans le monde de l'éducation.

> *Les sciences humaines fragmentent tout pour comprendre, tuent tout pour examiner.*
>
> LÉON TOLSTOÏ
> ═══════════
> (1828-1910)

Quand le mot «réforme» tente d'aborder la réalité éducationnelle par des engagements tels la diversité dans les apprentissages, dans les approches, le respect des différences, l'enrichissement du contenu des programmes, la concertation entre les intervenants, la participation des parents à des comités consultatifs, d'accroître la cohérence des interventions, d'instaurer un réseau de soutien aux établissements, de donner plus d'autonomie à l'école, de permettre l'évaluation comparative (à savoir que les résultats soient transmis sous forme de lettres ou de chiffres), dans ces circonstances, elle justifie sa raison d'être, elle soulage les instances concernées, appuie, oriente son contenu et sa forme selon

---

4. *«Car cela n'est pas dû à la seule paresse, si les rapports entre les humains se répètent d'un cas à un autre avec la même indicible monotonie, dans une absence totale de renouvellement, cela est dû à la crainte de tout vécu nouveau, imprévisible, qu'on ne se croit pas de taille à affronter.»*
Extrait de Lettres à un jeune poète *de Rainer Maria Rilke, Flammarion, Paris, 1994, p. 90.)*

les attentes et les besoins actuels. Toutefois, lorsque la réforme dicte ses orientations en affirmant que les enfants seront toujours aussi nombreux dans les classes, c'est sans contredit le facteur le plus difficile pour les enseignants et avec lequel ils doivent composer. On constate également que le service de garderie devient comme une deuxième résidence, et que l'éducation physique

Si l'on faisait attention à ce que les autres peuvent dire de nous, cela arriverait bientôt à nous enlever toute possibilité de faire le bien.

CARLO GOLDONI

(1707-1793)

est à la baisse. La réforme ne semble pas, à moins de me tromper, faire une lecture très appropriée entre l'univers des garçons et celui des filles, car elle continue de faire valoir la mixité dans les classes. Nous savons pertinemment que le monde de l'éducation, compte tenu des changements de notre société, devra se pencher sur des classes à caractère strictement masculin ou féminin. Devant de telles constatations, les intervenants de la réforme devront retourner à la table de concertation pour discuter et revoir quelques oublis que je qualifierai d'essentiels et d'urgents. Quiconque voudra réformer le secteur de l'éducation fera bien de conserver, à tout le moins, les remarques d'individus qui n'ont peut-être pas les titres de noblesse, mais combien il sera salutaire de les écouter, voire de faire valoir leurs idées, et surtout, de ne pas les ignorer. **Les enfants, ça concerne tout le monde**[5]!

L'actualité internationale n'est pas moins mouvante: des régimes naissent et disparaissent sans cesse tandis que nous sommes toujours en retard d'un passé qui ne cesse pourtant de se rapprocher.

Nous souffrons peut-être d'une secrète dévalorisation de nous-mêmes. L'enfant sans défense devient facilement un délectable objet de comparaison qui nous grandit à nos propres yeux, alors qu'en réalité, nos enfants sont très souvent plus capables et plus intelligents que nous. Très sensibles à l'environnement, ils réalisent rapidement qu'ils ont les mêmes droits que tous, ils ne supportent plus le rapport de forces mal équilibré, de bourreau à victime.

Le centre de la pensée devient moi, ce moi, ou plutôt cette image du moi satisfait et choisissant ce que la société propose ou impose. Moi des acquis, moi des biens, moi de l'avoir. Image de **ma** plénitude et de **ma** réussite.

Quoi de surprenant que cette même pensée aboutisse dès lors au désinvestissement du nous, du bien propre à plusieurs, du bien commun qu'est l'école! D'une école qui, dès ce moment n'est, en effet, plus l'affaire de per-

---

5. *La jungle universitaire ou politique oublie parfois que la nature est composée d'arbres, de feuilles, d'eau, de marées, de lumières, d'oiseaux. Il en est de même pour l'enfant. Lorsqu'on s'y intéresse vraiment, il est aussi vaste qu'une forêt, aussi limpide que l'eau, aussi beau qu'un roseau. Décidément, la diversité sous toutes ses formes est la vertu par laquelle nous pourrons mieux comprendre ce que l'on est, ce que l'on vit, ce que l'on veut devenir.*

sonne, mais un lieu anonyme, extérieur, contraignant, dont on attend tout et rien, debout par la force des choses, sorte de nature sans arbres.

On le réalise, on se trouve là devant un mouvement extrêmement inquiétant de la société. Il prend de l'ampleur. De nombreux phénomènes sociaux s'y rattachent et sur lesquels je ne peux m'étendre ici: violence, racisme, isolement, compétitivité exacerbée.

Notre société promeut le moi, instance psychique qui croit posséder et surtout croit se posséder. Elle tend à faire de nous des petits «moi» de moins en moins reliés entre eux, petits clones ou petits clowns.

Ainsi se trouve menacé ce que j'appellerais, à l'opposé, le sujet humain. À l'inverse du moi, le sujet est différence, singularité, mais par là, mouvement d'avance personnelle, recherche de rencontre, quête d'altérité, avec, certes, toute sa part de risque, d'insécurité, d'indétermination, mais avec toute sa chance de surprise, de fécondité, de créativité. À l'encontre du moi qui attend son bien, le sujet, lui, reconnaît que le prix à payer pour vivre et pour désirer est précisément la non-complétude, l'insatisfaction, le **manque**[6].

Les relations humaines sont entachées de rivalité. Le système professionnel repose sur l'ascension des échelons du prestige et du pouvoir. Les humains se liguent en petits groupes pour **juger les autres**[7]. C'est

---

6. *Bientôt, on mourra d'un manque de manque.*
7. *Si vous voulez connaître à fond quelqu'un, écoutez ce qu'il dit sur le compte des autres.*

ainsi que s'élabore le système d'évaluation sociale et que se constituent les hiérarchies de prestige. Or, la construction d'une institution sociale, d'une école par exemple, est toujours aléatoire puisqu'elle résulte de la rencontre de plusieurs. Par définition, elle est incertaine, mouvante, risquée.

Construire une école, chaque jour, croire en sa légitimité, y mettre ses convictions, ses valeurs, c'est donc, aujourd'hui, aller résolument à contre-courant de la pensée ambiante qui prône l'expansion du moi.

Sortir l'école de «tous ses états» pour en faire un lieu vivant, c'est se mettre radicalement d'un autre côté, du côté du sujet. **C'est renverser la conception actuelle du bonheur individuel. C'est renouveler en profondeur son lien avec les valeurs collectives**[8]. Il y va, vous en conviendrez, d'un choix éthique. Selon moi, il est urgent de le faire, et, encore une fois, pas seulement dans le champ scolaire.

L'école primaire et l'école secondaire, qui devraient être des lieux caractérisés par la passion de la connaissance (ouvertes au monde et à la diversité) qui s'adaptent aux transformations et qui croient à l'importance des valeurs, sont devenues, au fil des réformes, des lieux encombrés et rigides. Personne n'ose encore dire, cependant, que l'on devrait

---

8. «... C'est l'art des distinctions. Ainsi, découvrir sur chaque personne les caractères qui la distinguent des autres, c'est apprendre à la connaître.»
   (Extrait de Narcisse et Goldmund, de Hermann Hesse, Calmann-Lévy, Paris, 1948, p. 37.)

émettre un décret affirmant catégoriquement que l'école doit d'abord nous apprendre à **être en relation**[9].

Le primaire est une période qui doit conduire non seulement à apprendre, mais surtout à jouer, à découvrir ses folies cachées et à s'approprier des provisions de mots, de codes, de subtilités qui prennent forme dans un élan d'innocence. Comme le précise Milan Kundera dans son livre *La plaisanterie* (Gallimard, 1968): *Les jeunes, après tout, s'ils jouent, ce n'est pas leur faute; inachevés, la vie les plante dans un monde achevé où on exige qu'ils agissent en hommes faits.* C'est par le jeu, la diversité des rôles et le plaisir de l'apprentissage que l'enfant s'épanouit et exerce une volonté de poursuivre de nouveaux défis. Un enfant qui vit trop de frustrations se réalisera en un mode défensif. L'essentiel de l'éducation au primaire n'est pas tant de donner un contenu que de soutenir l'appétit de vivre de tout enfant.

> *Entre beaucoup d'autres choses, tu étais aussi pour moi une fenêtre à travers laquelle je pouvais regarder les rues.*
> *Tout seul, je ne le pouvais pas.*
>
> FRANZ KAFKA
> (1883-1924)

---

9. *C'est seulement dans la mesure où nous partageons les sentiments d'autrui que nous sommes qualifiés pour juger une chose.*

*Il n'est point de
vent favorable
pour celui qui ne
sait où il va.*

SÉNÈQUE

(4 AV. J.-C.-65)

Le secondaire, un lieu qui présente des défis, des obstacles, des valeurs collectives (respect, générosité, tolérance aux différences), vient se greffer aux contradictions et aux confusions que vivent les adolescents. N'oubliez pas de dire à ceux-ci, et j'insiste: «N'ayez pas **honte**[10] de ce que vous faites, la honte est à l'origine de toutes nos déformations.» **C'est l'équilibre entre les forces contraires qui viendra appuyer la réussite ou l'échec, l'acceptation ou la provocation**[11]. Pour stimuler les adolescents, il faut les mettre en situation afin de les impliquer dans le cadre scolaire, par de petits groupes de parole. Plus qu'à toute autre période de la vie, leur intelligence s'appuie sur leur environnement.

10. *«Les filles sont sensibles à la honte, mais les garçons, eux, la craignent.» (Extrait de De vrais gars, de William Pollack, AdA, Varennes, 2001, p. 74).*
11. *Attention à la signification des mots «interdire» et «humilier»: «Je t'avais dit de ne pas le faire, pour telle et telle raison»; «Encore! Décidément, tu es un incapable.»*
12. *Puisqu'il est question de l'intelligence et que, bien souvent, ça intéresse de nombreux parents, voici une donnée intéressante: «Le QI (quotient intellectuel) augmente de trois points en moyenne par décennie; ce que l'on attribue à un environnement plus stimulant, à des progrès en santé, en éducation...» Mais attention de sous-estimer le QE (quotient émotionnel), car il prédit un pourcentage élevé de la réussite personnelle, sociale et professionnelle. (Extrait de «Searching the real world for signs of rising population intelligence», de Robert W. Howard, psychologue australien, Personnality and Individual Differences, no 6, avril 2001.)*

L'intelligence de l'adolescent[12] est très dépendante du groupe au sein duquel il évolue; elle est très interactive. Un adolescent peut être intelligent dans une bande qu'il a créée, où il se sent bien, et complètement idiot dans un autre groupe qu'il considère comme ennemi. Par conséquent, il peut être bon ou mauvais dans telle ou telle matière à l'école selon que le groupe qu'il y trouve lui convient ou pas. Par ailleurs, son apprentissage n'est pas linéaire. Il existe une grande différence entre faire et savoir, qui est liée, notamment, à une temporalité très fragmentée. L'adolescent vit par séquences. Il peut dire qu'il ne sait pas quelque chose qu'il semblait maîtriser parce qu'il est ailleurs, dans un autre secteur. Aussi, la réussite scolaire peut varier considérablement d'une année à l'autre. **S'imaginer pouvoir comprendre les adolescents n'est pas le meilleur moyen d'établir le contact avec eux**[13].

L'étymologie du mot école (*skolè* en grec), nous indique un lieu d'étude et de loisir. De même, Festus, un grammairien du IIIe siècle, précise que le nom d'école ne s'explique pas par des activités oisives, mais par des occupations de nature ludique, dignes des études propres aux hommes libres. Donc, école désigne un lieu de loisir et de liberté dans l'étude et en aucune manière l'oisiveté, le relâchement, la permissivité. Au contraire, l'émancipation, l'ouverture, l'**audace**[14].

---

13. *Établir le contact avec les adolescents, c'est d'abord se rappeler cette phrase: «Peuvent-ils apprendre aux parents quelque chose... peuvent-ils vous surprendre par leur intelligence, leurs impulsions, leurs rêves?»*
14. *Des enfants sans initiative ne pourront avoir une grande estime d'eux-mêmes.*

> *Tout le monde se plaint de sa mémoire et personne ne se plaint de son jugement.*
>
> LA ROCHEFOUCAULD
> ===
> (1613-1680)

Et je vous demande concrètement: comment aider les enseignants à oser? À oser se réapproprier les programmes? À oser jeter les ponts vers des collègues? Comment encourager les élèves à oser? À oser prendre personnellement possession des connaissances? À oser dire les choses à leur manière? À oser se tromper? **À oser lire et relire**[15]? Comment initier les parents à oser? À **oser faire équipe**[16] avec les enseignants? À cesser de se plaindre? À s'ouvrir à la diversité des approches? À oser s'impliquer dans les comités?

Comment pourrait-il y avoir questionnement chez les élèves s'il n'y a pas questionnement entre adultes? Plutôt que le rouge sur la feuille, correction ou sanction, pourquoi ne pas s'interroger ensemble, élève et

---

15. *À chaque anniversaire, achetez-leur deux livres, l'un «léger» (par exemple, Lettres à un jeune poète de Rainer Maria Rilke, Flammarion, 1994), facile à lire; l'autre «lourd», pour «réfléchir» (par exemple, Lettre à un adolescent sur le bonheur de Franco Ferrucci, Arléa, 1998). Le plus beau cadeau à offrir à un enfant, c'est un livre!*

16. *«Un partenariat efficace suppose que chacun sache qui fait quoi. Or, chacun veut faire le travail de l'autre. Les enseignants s'intéressent à la vie familiale des enfants, quand ils ne jouent pas les psychanalystes dans les conseils de classe en expliquant que "l'échec de tel élève en mathématiques est dû à l'absence de référent paternel". Les parents, eux, se mêlent de pédagogie.»*
   (Extrait de L'école contre la guerre civile, *de Philippe Meirieu et Marc Guiraud, Plon, Paris, 1997.)*

enseignant, sur le pourquoi de l'erreur, la façon dont on s'y est pris pour y arriver? Mais non, les erreurs sont nommées fautes, productions mauvaises et le fautif est coupable **alors qu'elles témoignent si souvent d'une véritable originalité de pensée**[17].

Dire ses plaisirs et ses projets. Exprimer ses demandes. Dire ses soucis, sa déception, sa détresse sans être jugé. Valorise-t-on assez l'écoute des élèves par les autres élèves, l'aide qu'ils peuvent s'apporter? Je crois que la réforme s'inscrit dans cette direction. Un directeur se donne-t-il le temps de «perdre son temps» en échanges informels, repas, petites promenades à gauche et à droite dans le bâtiment? En a-t-il les moyens?

Éduquer, c'est aider l'enfant à trouver son chemin à lui, à découvrir le sens de sa vie à lui, à sortir de la répétition qui l'empêche de vivre. Et les enfants laissés dans la liberté de faire, sans limites à leurs désirs, ne savent plus différencier ce qui, dans ces désirs, est leur part à eux de celle qui est de leurs parents. Il faut que les parents **osent interdire**[18]. Prenez ce couple d'intellos – lui, professeur, et elle, avocate – persuadé que leur petit garçon était surdoué parce qu'à l'école il se montrait très indiscipliné. Commentaire de la thérapeute: «L'enfant était tout ce qu'il y a de plus normal. Simplement les parents ne lui fixaient aucune limite à la maison. Ne

---

17. *Chaque jour, créer quelque chose.*
18. *Faire comprendre à l'enfant que tout ne lui appartient pas.*

Mes parents étaient plongés dans une de ces conversations à voix basse qui séparent plus qu'un fleuve le monde des enfants et celui des adultes.

PABLO NERUDA,

J'AVOUE QUE J'AI VÉCU
(1975)

pouvant admettre qu'il était mal élevé, ils préféraient penser qu'il était génial.» La psychologue n'a vu l'enfant qu'une demi-heure. Et les parents, plusieurs fois. Cette glorification de leur progéniture aurait pu être la source d'importants dégâts psychologiques. C'est même aujourd'hui, d'un avis unanime, l'une des principales sources de dysfonctionnement relationnel parents-enfants pouvant entraîner des troubles graves.

Un groupe, une famille ne peut exister sans une «éthique de relation», sans un jeu de balance entre le recevoir et le donner. **Un enfant vivant sans limites n'est ni libre ni heureux**[19]. Pour que «l'autorité» fonctionne, une répartition des rôles entre les deux parents est indispensable. Autrefois, c'étaient les règles éducatives qui prévalaient. Aujourd'hui, la disparition d'une référence, la perte d'un consensus, l'absence de compromis raisonnables, l'absence d'enracinement font en sorte que les désirs s'affrontent et que les

19. *Un enfant trop gâté devient un enfant craintif.*

jeunes n'arrivent plus à discerner le comment vivre de ce qu'ils doivent faire. Quand l'enfant courait, nous lui disions autrefois de cesser de courir, alors qu'aujourd'hui nous devons plutôt lui dire quoi faire, soit: «Marche!» L'enfant ne doit plus découvrir lui-même le geste approprié; au contraire, ce sont les instances concernées – les services de garderie, l'éducateur, l'enseignant, l'école – qui leur dictent la réponse. Quelle connerie!

Il faut donc se donner totalement à ce que l'on vit. Un enfant vit ses jeux en toute innocence. Quand il joue, il joue. Il ne fait rien d'autre. Et, ne faisant rien d'autre, **il goûte un bonheur sans partage**[20]. Il connaît le paradis de l'instant qui rejaillit sur lui à travers la beauté de son visage apaisé par ce bonheur ainsi savouré. Ah, si les adultes savaient une fois dans leur vie, une fois seulement, retrouver leur innocence!

L'innocence est une suspension de la pensée. Elle est aussi une suspension de la honte, de la fuite et de la haine. Être innocent, en effet, c'est, en plus du fait de ne pas avoir d'arrière-pensée, ne pas se sentir coupable. Il faut donc ne pas avoir honte. Regardons et écoutons le monde autour de nous: sans cesse on fait honte de vivre d'une façon innocente; on accuse les autres, aussi, du péché de vivre. La vie est-elle une

---

20. *«Elle était heureuse. Son père lui avait toujours recommandé de ne pas manquer d'identifier cet état quand il se produirait et de lui rendre grâce.»* (*Extrait de* Brazzaville plage, *de William Boyd, Seuil, Paris, 1991, p. 69.*)

vallée de larmes? Comment être heureux dans un monde où règne encore le mal? On se plaint tout le temps. On est donc triste par principe, et on oblige tout le monde à le devenir. Résultat: la vie devient effectivement une vallée de larmes, que l'on a de plus en plus de raisons de haïr. Le philosophe Nietzsche a voulu briser le cercle vicieux: comme on hait la vie, la vie devient haïssable et, la vie étant haïssable, on hait la vie. Aussi a-t-il fait de l'innocence une méthode pour vivre et pour penser. **L'enfant désigne la libre affirmation de la vie, qui n'a pas besoin d'obéir ni de se révolter pour vivre[21].**

Faire le constat que le monde qui bafoue ainsi toute innocence autour de nous est malade semble banal. Se demander pourquoi il est ainsi malade l'est déjà moins. Il est justifié de rappeler qu'il existe, en effet, une grande santé de la vie, qui réside dans l'affirmation de la vie innocente. Il est juste de parler de santé, car cela demande de la force et de la fraîcheur. Une telle santé est cependant refoulée et occultée par quantité de haines, cachées derrière un certain nombre de pensées et de jugements formant ce que l'on appelle l'air du temps. Et si l'on se délivrait de ces pensées et de ces jugements, en mettant au jour les colères qui les

---

21. *«Le bonheur est le privilège de ceux qui savent cultiver les illusions positives, et sont capables de s'estimer plus intelligents et plus compétents qu'ils ne le sont.»*
(Extrait de Les vertus du plaisir, *de Robert Ornstein et David Sobel, Robert Laffont, Paris, 1992).*

habitent et qui ne cessent d'emprisonner la pensée? À l'évidence, on serait plus libre, parce que l'on serait enfin délivré d'un certain nombre de maladies qui entravent la pensée et que l'on pourrait accéder à l'innocence perdue, ainsi qu'au grand **rire disparu**[22].

Ne perdons jamais de vue ce que le passé nous a appris: comment toute une culture fondée sur la culpabilité, ainsi que sur la honte, a volé les capacités de création et finalement de vie morale à un certain nombre de générations. Méfions-nous de la morale quand elle se veut trop morale, en nous souvenant de cette pensée de Pascal (1623-1662): *La vraie morale se moque de la morale*[23]!

C'est comme avec les enfants. N'y a-t-il pas là une vision trop théorique des choses? Chercher ce qui est hors de soi sans pour autant sombrer dans l'attraction du néant, tel est le déséquilibre perpétuel qui constitue l'épreuve héroïque comme une épreuve du temps. Pourquoi chercher un fondement à l'existence hors de soi au lieu d'exister et de fonder soi-même notre propre existence? En outre, pourquoi aller chercher le

---

22. *Il est préférable de ne pas avoir une vision trop lucide de soi-même et de ses véritables aptitudes.*

23. *«Tu crois sans doute que les adultes connaissent la réponse, eux qui ne perdent jamais l'occasion de donner des conseils où il y a toujours cette idée que tu devrais devenir pareil à eux... En tout cas, tu t'es déjà rendu compte que, derrière ces conseils, il n'y a que le vide, et c'est contre cela que tu te rebelles instinctivement, à ta façon désordonnée.»*
(Extrait de Lettre à un adolescent sur le bonheur, *de Franco Ferrucci, Arléa, Paris, 1995, p. 11.)*

Celui qui reconnaît consciemment ses limites est le plus proche de la perfection.

GOETHE
(1749-1832)

fondement de l'existence dans un **être parfait**[24], purement intelligible, situé au-delà des apparences? N'est-ce pas dévaloriser l'enfant que d'avoir besoin d'aller chercher une réalité autre, au-delà de lui, afin de fonder le réel? Arrêtons de penser que la réalité est ailleurs. Cessons d'appeler réel ce qui est toujours plus matériel, plus imagé, plus nouveau, plus unique. L'enfant a besoin d'exposer au grand jour ce qui est obscur, en le manifestant. De quoi croyez-vous qu'il a besoin pour savourer la volupté du quotidien de la vie? Voici mon opinion: d'humilité, de respect et de tolérance. Et je rajoute: **cessons de les inquiéter**[25].

On peut dire: «J'ai mes valeurs!» Mais ces valeurs n'ont la même signification que lorsqu'elles sont partagées sans discussion par l'ensemble de la com-

---

24. *«Au besoin de certitude correspond le désir d'échapper à la tension qui constitue l'existence. Or, le désir qui cherche à combler ce qu'il est, proprement inapaisable, ne cherche finalement qu'à se supprimer lui-même, puisqu'il a pour seule réalité l'excès qui l'anime et qui tend à sortir de l'ordre des choses. L'intranquillité et l'affirmation, voilà ce qui meut l'existence...» «Être héroïque ne veut pas dire particulièrement goûter la douleur, mais simplement prendre la vie dans tout son relief, dire Oui! À toutes ses turbulences.»*
(Extrait de Nietzsche: Les aventures de l'héroïsme, *de Antonia Birnbaum, Payot & Rivages, Paris, 2000, p. 34, p. 71.)*
25. *Cessons de donner des conseils; donnons plutôt l'exemple.*

munauté. **Il n'y a plus de consensus, en particulier sur les règles éducatives**[26]. L'écart s'est prononcé entre le discours et la pratique. Nous sommes de plus en plus informés, mais nous comprenons de moins en moins le contenu de l'information. Nous sommes, sans contredit, beaucoup plus confus que par le passé. Nous n'aimons pas l'effort que représentent la recherche de savoir, le temps à échanger, à comprendre, à saisir les nuances; tout est codé, banalisé. Le monde des plus jeunes nous apparaît plus d'une fois comme un monde étranger. Un adolescent d'une école secondaire publique me disait tout récemment: «Démêlez-nous... nous sommes si confus!» Une autre de répliquer: «Mes parents analysent dans les moindres détails mes gestes, mes choix, mes rêves, mes amis... Voulez-vous bien leur dire de cesser de

> *Si votre enfant a du mal à se séparer de vous, donnez-lui un foulard que vous avez porté!*
>
> FRANÇOISE DOLTO

---

26. *Réflexion: À quel niveau établissez-vous les «règles» avec les enfants? Faire le ménage. Ramasser la vaisselle. Internet, pas plus d'une heure en soirée. Pas d'amis à la maison pendant les jours de classe. Aucun dessert après le souper. Une heure de lecture chaque jour. N'oublie pas de faire ta chambre. Tu auras de l'argent si tu coupes le gazon; si tu peins la clôture; si tu prends soin de ton frère; si tu fais tes travaux scolaires, etc. N'y aurait-il pas lieu de réévaluer les secteurs dans lesquels vous dictez des normes? L'enfant-roi est l'expression même d'un enfant qui n'a pas ou peu l'encadrement (ou la rigueur) qui lui convient. Qu'en pensez-vous?*

nous critiquer, de nous dicter quoi faire, quoi dire, comment faire, comment dire.»

En somme, ce dont les enfants souffrent et ce qui leur manque, c'est de retrouver avec leurs parents une «convivialité» perdue[27]. Difficile de penser que l'on est «bien» si l'on a des parents qui ne se pensent «pas bien».

Nous avons du mal à être innocents. Il faut en comprendre les raisons. Cela provient d'un certain type d'homme et de femme que la culture occidentale a privilégié, en l'occurrence la personne théorique. Outre le problème théorique que pose la volonté de savoir, il y a un problème de valeurs. Est-il souhaitable de toujours vouloir savoir ce que l'on fait? Je crois que les enfants en ont ras le bol de savoir. Ils préfèrent par moments prendre des risques, accepter l'inconnu, se laisser inspirer. Résultat: n'agissant pas parce qu'ils sont sûrs, ils deviennent sûrs parce qu'ils agissent. Il devient urgent que les parents disent à leurs enfants: **«N'ayez pas peur de vivre**[28].» Alors que l'ensemble des intervenants (philosophes, psychologues, parents, enseignants, etc.) auraient dû vivre la pensée d'une

---

27. *Un adolescent de répliquer: «C'était un des rares moments qu'on partageait ensemble. Et là, il me tape un long discours. Il ne se dévoilait pas, il était toujours dans un rôle.» Une adolescente ajoute: «Elle me repousse avec ces mots, ces interdictions, ces conseils... ça suffit!»*

28. *«Ne cherchez pas pour l'instant des réponses, qui ne sauraient vous être données, car vous ne seriez pas en mesure de les vivre. Or, il s'agit précisément de tout vivre. Vivez maintenant les questions.»*
(Extrait de Lettres à un jeune poète, *de Rainer Maria Rilke, Gallimard, Paris, 1903, p. 55.)*

façon originale, en acceptant de se laisser porter par le caractère imprévisible et multiple de la vie, ils ont cédé, à un moment, à la tentation du pouvoir. Ils ont voulu imposer leur propre désir de domination. D'où une déviation de la pensée. Soumise à l'intérêt d'une volonté de domination, celle-ci est devenue un système de pouvoir théorique (la science) ainsi qu'un système de pouvoir pratique (la morale). Les enfants d'aujourd'hui souffrent d'un monde adulte qui ne cherche qu'à contrôler, qu'à dominer. Que de beauté, que de perfectionnement! Dans de telles réalités, le risque de basculer est évidemment assuré. Les enfants ont besoin d'harmonie, de modération, de sérénité; et de leurs contraires, soit de discipline, d'échec, de rupture et de rigueur. Quand on est enfant, les plaisanteries les plus idiotes sont souvent les meilleures.

La vie est fragile, délicate, insaisissable. Jamais elle n'est donnée. Toujours elle se donne. À chaque instant. D'instant en instant. Sachant que tout peut être remis en cause. D'un moment à l'autre. Ce qui fait la richesse de la vie, c'est d'être une multiplicité d'occasions. C'est ce qui fait aussi son danger permanent. À chaque instant, il faut se risquer. Tout est en suspens.

Voici l'histoire d'une mère:

«À 17 ans, ma fille Laure a fait un régime draconien et elle est devenue complètement parano. Quand je lui propose de déjeuner, elle m'accuse de vouloir la rendre obèse, et quand je lui dis que j'ai vu un joli jean, elle m'accuse de vouloir l'habiller à ma façon. Invivable!» Paroles d'une mère qui reconnaît volontiers ses «torts» devant l'enseignante de l'école: «Quand on est seule, on "surnourrit" son enfant.» En divorçant, je me disais: «Elle ne sait pas encore marcher, et il n'y a plus que moi pour la pousser dans la vie. Elle l'a senti et en a profité.»

Coiffées d'une double culpabilité – celle de travailler et celle de ne pas offrir un père à leur enfant –, ces femmes n'ont plus le courage d'exercer leur autorité et consultent davantage que les couples.

Voici l'histoire d'un père:

«Je manque d'autorité, je ne sais pas m'y prendre», confie ce père d'un petit dur de six ans qui terrorise école et famille.

Le psychanalyste Patrick Delaroche, auteur du livre *Parents, osez dire non!* (Albin Michel, 1996), souligne: «Hasardez-vous à demander à un enfant qui commande à la maison. Il ou elle vous répondra invariablement «les parents», sans distinguer le père ou la mère. Cette non-distinction va de pair avec le déclin de l'image paternelle en Occident. Le plus souvent, le père fonctionne aujourd'hui comme une deuxième mère.» **Trop d'enfants n'ont pas de repère**

---

29. *«Je n'ai connu mon père que de dos.»*

masculin positif[29], trop de pères délèguent et laissent faire les mères.

«La pilule a tout changé. Maintenant on veut des enfants tels qu'on les rêve», explique Julien Cohen-Solal. «Nos sociétés ont fait naître le mythe de l'enfant rare, donc merveilleux et cher», écrivent Danièle Legrain et Paul Messerschmitt, dans leur livre *L'enfant déprimé*. L'enfant, programmé au moment idéal, doit être idéal, c'est-à-dire conforme à l'image que se sont construite ses **parents**[30]. Les enfants sont désormais considérés comme de petits adultes, des êtres autonomes, des consommateurs. Il faut se défaire de cette idée, dit Kay Hymowith, auteure du livre *Ready or Not, why Treating Children as Small Adults Endangers Their Future – and Ours* (2000), et se rappeler qu'ils ont tout à apprendre.

L'idée se fait jour que l'histoire de certains enfants est figée, arrêtée sur image, ou pire encore, sans image. Or, c'est précisément à travers cet état adulte projeté, perçu comme un achèvement de l'enfance, que l'enfant était jusqu'à récemment regardé, donc à travers un standard qui ne pouvait que faire ressortir ses

---

30. *«L'enfant n'est plus simplement ce chaînon entre les générations. Avant, il donnait un sens à la vie du couple. Aujourd'hui, il est devenu un capital complémentaire. Les parents d'aujourd'hui refusent le conflit, mais il en faut du conflit, dans n'importe quelle relation d'ailleurs. Pour exister, l'enfant s'impose. On a fait de l'enfant un être gâté. Et en français, "gâté" a deux sens: le sens le plus répandu, c'est-à-dire "écrasé d'amour"; mais il a aussi le sens de "pourri". Il y a une pollution de l'enfant.»*
(Extrait d'un article du journal La Presse du 22 septembre 2001 écrit par Marie-France Léger, entretien avec l'auteur Louis Roussel, L'enfance incertaine, Odile Jacob, Paris, 2001.)

manques. En d'autres termes, c'est aussi un regard «adulte-centré» qui a produit l'enfant-roi tel qu'il est présenté aujourd'hui. On peut aussi ajouter que l'adulte, «égocentrique», a une vision très réductrice lorsqu'il ne peut, depuis ses acquisitions et sa maturité, penser l'enfant qu'à travers ses inaptitudes, ses amputations et soustractions par rapport à un accomplissement final supposé. L'enfant est jeté trop tôt dans les critères du monde des adultes. **On impute à cet âge dit adulte une fonction d'«étalon», on en a fait un état vers lequel l'enfant doit tendre**[31]. Les enfants en ont plus qu'assez des standards!

Père ou mère, **nous pensons souvent tout savoir des besoins de nos enfants**[32]. Mais nous ignorons souvent l'essentiel: ils sont programmés pour vivre leur propre vie. Drôle de voyage que ce tête-à-tête parents-enfants au cours duquel l'attachement doit mener au détachement. Ou même, plus il y a attachement, plus le détachement est facile. «Les adolescents qui s'en sortent le mieux sont ceux qui partent dans la vie avec **un sac rempli d'affection**[33], explique Philippe Jeammet, psychiatre. L'enfant le plus attaché à sa mère à 8 ans sera le plus détaché à

---

31. L'historien Philippe Ariès voyait l'émergence du sentiment de la jeunesse: «Je ne sais plus qui je suis ni ce que je fais.»

32. «...prétendre qu'apprendre dès le plus jeune âge plusieurs langues est néfaste à la maîtrise de la langue maternelle est pire qu'une sottise. Il s'agit d'une ignorance impardonnable qui conduit à priver des millions d'enfants d'un atout majeur du XXIe siècle: la maîtrise des langues.»
(Extrait de La troisième révolution, de Bruno Lassato, Plon, Paris, 1999, p. 147.)

33. L'absence de sécurité affective peut se traduire par des ruptures et des attaques contre eux-mêmes.

18 ans.» Il est bien assuré qu'on ne se détache jamais sans douleur. Personne n'ignore qu'il y a deux entrées par où les opinions sont reçues dans l'âme, lesquelles sont ses deux principales puissances: l'entendement et la volonté.

En deçà du système de valeurs affiché, en deçà des principes d'éducation, des références morales et, bien entendu, des grands discours, ce qui est fondamental pour un enfant, c'est le climat de la vie quotidienne qui va lui permettre de créer une relation de familiarité avec le monde. Cette confiance autorise à grandir et à explorer le monde sans la crainte d'être envahi et sans l'angoisse de perdre ceux que l'on aime.

Si, précisément, nous analysons l'enfant trop vite, si nous lui donnons trop vite des réponses, le questionnement de l'enfant se clôt, son discours peut aller jusqu'à être méprisé, désavoué et le désir de savoir se trouver en impasse. Cessons de tout analyser, d'interroger, d'insister. Un enfant jalonne son parcours de questions à condition que l'adulte reconnaisse ses limites et accepte de se mettre partiellement en absence, ou en abstinence. Il importe que tout adulte, parent, éducateur ou citoyen laisse progressivement à l'enfant l'espace où peuvent croître son propre désir, sa propre pensée, sa propre parole. Un enfant trop choyé, trop adulé, trop entouré, exagérément amené à plaire à l'adulte, soumis à son regard trop admiratif, **ne bénéficie pas de cette «bonne distance[34]».**

---

34. *La trop grande proximité des parents est en effet susceptible de générer des situations à risques.*

Il est dorénavant fondamental de rappeler aux éducateurs, aux enseignants et aux parents, qu'à l'extérieur du monde de l'éducation se trouve un concurrent géant: les innovations technologiques. La publicité et le monde marchand reconnaissent et organisent l'existence d'un «vivre ensemble» juvénile dont l'école ne prend pas toujours la mesure. J'insiste pour dire et redire que les enseignants devront devenir les personnes les plus cultivées de la société pour à la fois concurrencer les technologies et aussi la diversification des filières (bande, décrocheurs) qui invitent l'enfant tout comme l'adolescent à fuir, à se désengager du système scolaire, à interrompre, pour toutes sortes de raisons, le cheminement éducatif. Pour emprunter une phrase de Thomas de Koninck, tiré de son livre *De la dignité humaine* (PUF, 1995): «Votre tâche consiste à vous efforcer de clarifier.»

L'attitude des jeunes envers les enseignants dépend beaucoup de la manière dont l'enseignement est conçu et de la façon dont les enseignants se comportent. S'il n'y a pas d'équité ni de respect, ils vont s'indigner, voire se révolter.

Les formes d'expression et de réception du savoir ont changé, et le système éducatif ne tient pas assez compte de l'évolution de ses usagers. En passant, ce n'est pas **le tutoiement familier avec les élèves**[35] qui fait montre de solidarité. En somme, l'habileté des

---

35. *Autrefois, les gens étaient cultivés, polis, courtois, ils appréciaient les belles et les bonnes choses. Les bonnes manières se perdent!*

enfants et adolescents à capter les moindres indices de morosité, de défection dans le langage des enseignants, voire aussi des parents, fait en sorte que bien souvent les jeunes décrochent. Le plaisir est essentiel dans l'apprentissage. Avez-vous du plaisir, chers enseignants, chères enseignantes, à entrer dans votre salle de classe? Ou êtes-vous dans l'obligation de tenir compte de toutes les maladresses de vos semblables et des contraintes du système pour justifier votre **désarroi**[36]? Nous avons besoin de vous! Nous vous supplions de rester, ne cherchez pas à vous éclipser, à compter le temps qu'il vous reste, à attendre la retraite. Accrochez-vous, ayez ce plaisir d'apporter un mystère, un mot, un geste qui peut inciter les enfants à réaliser leurs rêves. La diversité dans les approches, de la maternelle au secondaire, est prioritaire à l'actualisation des potentialités de l'enfant tout comme de l'adolescent. Multipliez vos présences en salle de classe et dans la cour d'école; repérez les enfants solitaires, les enfants vulgaires, ceux qui ont le goût de tout casser, marchez avec eux et offrez-leur une phrase, une écoute, une pause, car la plupart des perturbations chez les jeunes relèvent de la disparition du dialogue à la maison.

---

36. *«Je ne veux pas qu'on emprisonne ce garçon. Je ne veux pas qu'on l'abandonne à l'humeur mélancolique d'un furieux maître d'école.»*
(Extrait de L'éducation des enfants, *de Michel de Montaigne, Arléa, Paris, 1999, p. 7.)*

Il faut arrêter de tout corriger chez un enfant! C'est beau ce qu'on appelle un défaut, un problème ou un malaise, mais, bien souvent, il sert à exposer une sensibilité, une émotion et une énergie bien à soi. Cessez de suivre pas à pas les exigences de notre société. Elles cherchent ni plus ni moins à bannir quelque chose de bien précieux à la vie: être soi-même. Pourquoi se débarrasser de ses «complexes»? Pourquoi faut-il qu'un enfant s'efforce continuellement de participer, de s'interroger, de s'intéresser? La solitude, la vulnérabilité et la dispersion ne sont-elles pas, elles aussi, des compléments nécessaires à la réalisation de ses rêves, de ses ambitions et de ses illusions?

L'éducation semble n'avoir qu'un seul but: réussir. Dominer le monde ou les autres, l'emporter, parvenir, voilà la réalité à laquelle nous convions les enfants. Aussi, toutes ses interventions et toute son habileté ne s'emploient qu'à imaginer des moyens plus ou moins détournés, plus ou moins complexes, des combinaisons, des ruses, des procédés, des protocoles. Rivalité, concurrence, compétition, intrigue et domination: c'est ce qui les désunit. Devant de telles appréhensions, les jeunes seront pourtant de moins en moins capables de subtilité et de discernement.

Notre société de performance doit particulièrement inclure le sentiment de considération et restaurer chez les jeunes l'envie de vivre. Nous avons besoin de tous les adultes pour enseigner le respect à l'égard de la jeunesse d'aujourd'hui. Trop de facteurs, axés sur le beau, le meilleur, l'unique, l'extrême, les prédictions, engendrent une épidémie de douleurs et de culpabilité. Tout se passe comme si les jeunes qui vont mal devaient littéralement se casser, se déchirer, se défoncer pour se sentir exister. Cela conduit inévitablement à un désir de rupture: chez les **garçons**[37], violence contre soi ou autrui, conduite à risques d'engins motorisés, usage prononcé d'alcool ou de drogues; chez les **filles**[38], comportements d'évitement, de retrait; se casser, se déchirer au féminin consistant plutôt à faire des fugues, à s'autoadministrer des tranquillisants ou des somnifères, à dérégler totalement ses pratiques alimentaires (anorexie, boulimie).

Nous pourrions attribuer ces gestes à des causes sentimentales, des problèmes scolaires, des traumatismes infantiles enfouis, une dépendance affective extrême, un conflit familial, le décès d'un proche, etc. Dans la majorité des cas, il s'agit du flou existentiel actuel qui s'inscrit dans les extrêmes à rencontrer les exigences personnelles, sociales et familiales. Bref, si l'on ne peut supprimer les dépendances, on peut les aménager.

Les yeux des enfants sont secs[39] et leurs sens angoissés, paralysés. Même des larmes rafraîchissantes

---

37. *Le drame des garçons: vivre dans une société sans père.*
38. *Le drame des filles: vivre dans une société axée principalement sur les apparences.*

ne pourraient atténuer leurs nombreuses craintes. Au fond, nous cherchons à leur reprocher leurs excès! Oh! que non, ces évasions calment par moments, autorisent quelques brefs soulagements; toutes ces inquiétudes pénètrent les entrailles des enfants et écrasent leurs moindres envies, leurs rêves et aussi leurs réalisations. Ce n'est plus l'information qui manque à l'enfant, mais un tri, une sélection, un choix qui conviennent précisément à ce que chacun cherche, en fonction de ses activités, de ses convictions ou de son identité. Un nombre croissant de jeunes sont sevrés de l'affection, du respect et de l'attention qui sont les conditions les plus indispensables au développement de l'esprit.

Le réalisme commanderait au contraire d'enseigner à penser, rendant les jeunes aptes à assumer l'abondance de changements, y incluant les changements technologiques auxquels ils auront inéluctablement à faire face dans les décennies à venir. Mieux vaut s'efforcer de comprendre les réalités et les nuances de chaque situation et d'adapter les théories en conséquence.

Chers collègues enseignants, chers parents, je vous souhaite la force et la joie d'être surpris et dérangés

---

39. Quelqu'un s'approcha: «Maître, dit-il, la vie a traité amèrement nos espoirs et nos désirs. Nos cœurs sont troublés et nous ne comprenons rien. Je t'en prie, réconforte-nous et dévoile-nous le sens de nos tristesses.»
(Extrait de Le jardin du prophète, de Khalil Gibran, Casterman, Paris, 1979, p. 13.)

par vos élèves ou enfants, par leurs questions, par leurs demandes, pour pouvoir, à votre tour, les surprendre et les inviter à se déplacer.

Un enfant qui s'est roulé dans l'herbe, dans la boue, qui a humé, flairé, mis en bouche ou sur ses mains tout ce qu'il a rencontré, aura forcément une autre relation vis-à-vis de la vie que celui qui est resté devant un écran...

CHAPITRE **5**

Des mots pour le dire...

*On souhaite toujours
trouver une issue
pour tout.
Et si cela était
une erreur?*

FRIEDRICH NIETZSHE

(1844-1900)

Dans ce chapitre, une invitation est proposée au lecteur d'intégrer, à titre de repères, des rappels dans certaines situations et autres subtilités. Ce livre se veut une occasion d'apprendre à vivre, à encourager l'enfant dans la diversité et non à exiger, à évaluer, à fixer des standards de réussite, de performance. Guider plutôt que dicter, accompagner plutôt que diriger, supporter courageusement l'inéluctable, c'est tout ce qui compte. Les mots qui suivent sauront peut-être vous interpeller dans un passé pas si lointain ou un présent très actuel et un avenir où nous aimerions mieux maîtriser l'incertitude. Mais il y a une difficulté particulière: nous sommes mêlés à ces enfants que nous qualifions d'enfants-rois; ils sont à la fois quelqu'un qui dépend de nous, et des enfants qui ne dépendent pas de nous. Nous sommes mêlés à eux de telle sorte que nous ne pouvons pas plus dire que nous sommes purement passifs devant eux que nous ne pouvons revendiquer que nous les comprenons et les maîtrisons.

Ainsi, l'enfant-roi nous concerne et nous rejette. Il faut accepter de nous installer d'abord dans cette expérience contradictoire qui, de toute façon, ne nous quitte pas.

C'est comme le temps, récupère-le, et prends-en soin. Notre temps, on nous en arrache une partie, on nous en détourne une autre, et le reste nous coule entre les doigts. Mais il est encore plus dommageable de le perdre par négligence. Et, à bien y regarder, l'essentiel de la vie s'écoule à mal faire, une bonne partie à ne rien faire, toute la vie à faire autre chose que ce qu'il faudrait faire.

On ne demande conseil que pour appuyer ses convictions.

WILLIAM OSLER
(1849-1919)

Faisons le point[1]. Les parents cherchent à être partout en même temps.

Être partout, c'est être nulle part. L'essentiel, ce sont tantôt les mains qu'on dépose sur l'enfant, tantôt le temps de qualité et non de quantité qu'on lui accorde. Les choses les plus utiles ne servent à rien si l'on change sans cesse. L'abondance d'objets nous disperse. La question demeure toujours la même: «Qu'est-ce qui est nécessaire? Qu'est-ce qui est suffisant?» Nous nous torturons avec le passé et l'avenir.

Les savoirs ne communiquent plus entre eux. Mais entre les générations, qu'en est-il? Communiquent-elles entre elles? Peuvent-elles communiquer? Comment les adolescents, qui n'ont pas la même culture que les adultes, pourraient-ils réagir selon les formes

---

1. «*Je ne suis pas sûr qu'il ne soit pas meilleur pour eux (les enfants) de les instruire oralement pour commencer. Il faudrait d'abord développer ses mains, son cerveau et son âme. Les mains sont presque atrophiées. Quant à l'âme, on l'ignore entièrement. Des parents sages permettent à leurs enfants de se tromper. Il est bon qu'ils se brûlent les doigts de temps à autre.*»
(*Extrait de* Tous les hommes sont frères, *de Gandhi, Gallimard, Paris, 1970, p. 266-267.*)

de raisonnement de leurs aînés? Nous avons cessé, en partie, de communiquer. Pourquoi? Pour la simple et bonne raison que **tout nous dérange**[2]; le temps nous presse. Nous repoussons ce qui peut devenir une entrave à nos gains, nos bénéfices, notre petit moi et nous remettons toujours à plus tard.

À vouloir quitter la **réflexion**[3] sur l'enfant-roi, celui-ci s'accroche, se répète et menace.

Il m'arrive de croiser des enfants promenés en laisse par leur mère. Elles le font certainement sans méchanceté, mais plutôt pour que se calme un peu leur perpétuelle anxiété. L'enfant, d'ailleurs, s'amuse souvent de la situation. Et cela ressemble au chien. Tantôt il arrête, il hurle, il tombe ou se jette au pas de course et appelle au secours. Il peut aussi ébaucher une danse de guerre, se mettre à courir autour de sa mère et l'encercler de son lien. L'enfant-roi se sert des instruments qu'on lui donne ou dont on l'enserre pour multiplier ses rébellions. Il est contraint de manifester son indépendance de mille et une façons. C'est pourquoi il s'y donne de toutes ses forces, tandis que les parents, de leur côté, tentent de modérer cette fièvre. Ils vont sans cesse répétant: «Assez!», «Arrête!», «Tais-toi!», «Tiens-toi tranquille!», «Fais attention!»,

---

2. *Notre vulnérabilité est-elle que nous avons de la difficulté à nous tolérer nous-mêmes? «La nécessité de faire prendre conscience aux gens qu'ils peuvent changer la société n'est pas incompatible avec la nécessité de les rendre tolérants envers les faiblesses humaines.» Arnold Wesker*
3. *«Il est peu de meilleur remède à l'anxiété que la réflexion.» Alain de Botton*

«Ça suffit!», «Je n'en peux plus!». Saviez-vous qu'une importante cause des crises des enfants, c'est l'ennui. «**Nous nous ennuyons**[4]!» Raoul Vaneigem voit juste quand il affirme: «**L'ennui engendre la violence**[5].» Les parents ont éduqué leurs enfants dans l'ennui, la tranquillité, le calme... «Ne bouge pas!», leur disent-ils. Les enfants crient lorsqu'ils s'ennuient, presque aussi fort que lorsqu'on les arrache à leurs jeux. En réalité, ils ne partagent pas le même espace ni, surtout, le même temps. Il leur reste à profiter au maximum des marges autorisées, à s'accrocher comme des frénétiques à leurs jeux. Les parents sont absorbés par leurs

> *La plus grande de toutes les maladies de l'homme est un défaut qu'on apporte en naissant, que tout le monde se pardonne et dont, par conséquent, personne ne travaille à se défaire : c'est ce qu'on appelle l'amour-propre, l' égoïsme.*
>
> PLATON
> (428-347 av. J.-C.)

---

4. *Lorsque c'est trop facile, les enfants finissent par s'ennuyer.*
5. *L'auteur poursuit : «La main de l'écolier se venge en mutilant tables et chaises, en maculant les murs de signes insolents, en lacérant les oripeaux de la laideur, en sacralisant un vandalisme où la rage se paie du sentiment d'être détruit, violenté, mis à sac par le piège pédagogique quotidien.»*
(Extrait de Avertissement aux écoliers et lycéens, *de Raoul Vaneigem, Mille et une nuits, Paris, 1995.)*

préoccupations, leurs angoisses, leurs manques; c'est ce qui fait que, trop souvent, pour les enfants, le moment est mal choisi. De nombreux parents ne rêvent que de partir.

Les enfants abandonnent parce qu'ils n'ont jamais ou peu l'occasion de terminer ce qu'ils ont entrepris. C'est alors qu'il advient ce qu'ils ont appris! Ils adhèrent, comme leurs parents, à l'anémie du dialogue, à l'éphémère, à l'ennui, au court terme, à **l'égoïsme**[6] et au chacun pour soi. Conséquemment, les parents deviennent hystériques à cause de l'argent demandé, des mauvaises fréquentations, de l'alcool et de la paresse. À eux seuls, les enfants ne savent plus ce qui est de l'ordre de l'absurdité ou simplement une façon de neutraliser les parents. Une chose est certaine; les parents sont ligotés de l'intérieur comme de l'extérieur. Ils éprouvent une fragilité. Tout le suspense se joue là.

Parmi les nombreux exemples, prenons celui des vacances en famille. Les parents sont debout très tôt, les enfants déjà se mettent en branle, questionnent, exigent, ordonnent, boudent. La mise en scène est coordonnée! Au petit déjeuner: «Maman, il n'y a pas de céréales comme à la maison»; «Où est mon maillot de bain fluo?». Les parents, un peu exaspérés, tentent de répondre à leurs demandes. Ils n'ont pas

---

6. «Il me semble que, depuis que j'ai eu des enfants, j'ai gagné en richesse et en profondeur. Il se peut qu'ils aient ralenti quelque temps mon travail d'écriture, mais quand je me mettais à écrire, j'avais à parler pour plus que moi-même.» Anne Tyler, 1941

encore ingurgité un seul aliment sans avoir eu à se questionner si les enfants ont tout ce dont ils ont besoin. 10 h! Qu'allons-nous choisir: la piscine de l'hôtel ou le lac à proximité? Déjà, les enfants émettent leurs observations et leurs questionnements: «La piscine est trop froide»; «Où sont mes jouets de plage, ma serviette de Mickey Mouse?» Les parents donnent les directives: «Ne courez pas», «Ne sautez pas», «Attention!», «Ne criez pas», «Ne fais pas cela à ta sœur», «Arrête!» La mère reste attentive, le père se replie, se retire, dort ou lit le journal et surveille les corps qui se déplacent (de quels corps s'agit-il au juste?). Midi! Le dîner en famille au bord de la piscine. En après-midi, les parents s'autorisent un brin de détente. Les chaises ne sont pas assez longues pour allonger toutes les tensions de leur corps. Des lectures, des romans, les dernières nouvelles du journal, rien ne peut les séparer du quotidien. Comme une insulte, comme une

Chercher à réformer les imperfections naturelles de ceux que nous aimons est une marque de folie. Il peut se trouver un défaut dans la composition la plus parfaite de la nature humaine, de même qu'une paille dans la plus belle porcelaine.

HENRY FIELDING
(1707-1734)

gifle, ils ne peuvent lui échapper que par la **fuite**[7]. 17 h! Préparation pour le souper. Ils choisissent le resto qui plaira à tout le monde: des pâtes, des frites, des sauces, des boissons gazeuses, des gâteaux... rien de nouveau, simplement un nouvel endroit. Toutefois, les enfants remarquent, en marchant, des jeux, des sons, des odeurs, de la crème glacée, des objets, des vêtements, des clowns. Ils veulent tout, tout de suite. L'un rumine, l'autre crie et le petit dernier ne sait pas encore de quel côté pencher (sa sœur ou son frère?). Les parents réagissent en disant: «Après le souper!» Puis, c'est le calme pour 60 minutes dans l'espoir que le service au restaurant soit rapide. Les enfants détestent attendre; ils ont appris cela de leurs parents et veulent tout de suite les cadeaux promis. Les parents acceptent en disant: «D'accord pour une crème glacée; pour le reste, plus tard, si vous êtes gentils et raisonnables.» De retour à la chambre: «Maman, il n'y a pas de Playstation 2 dans la chambre!» ou encore: «Je veux écouter ce film!»... La mère de répondre: «Non, non et non!»

21 h! Le coucher. Les enfants respirent profondément et c'est à peine s'ils arrivent à tout digérer. Les parents, quant à eux, s'abandonnent dans le lit...

---

7. *«Se révolter, c'est courir à sa perte, car la révolte, si elle se réalise en groupe, retrouve aussitôt une échelle hiérarchique de soumission à l'intérieur du groupe, et la révolte, seule, aboutit rapidement à la soumission du révolté... Il ne reste plus que la fuite...»*
(Extrait de Éloge de la fuite, de Henri Laborit, Gallimard, Paris, 1976.)

le père, la télécommande à la main... la mère, elle, s'endort avec le dernier best-seller dans l'espoir de renouer avec un plaisir disparu, avec des mains qui se cramponnent sur elle et qui effleurent chaque muscle, chaque tendon et chacun des os pour seulement s'abandonner.

Continuons avec un autre exemple, soit celui des enfants à la garderie: des règles, des non-dits, des ordres, des horaires. Les enfants sont dans une espèce de laboratoire avec des conditions préétablies et des approches sur mesure qui cherchent ni plus ni

*Je sens que
je suis libre,
mais je sais que
je ne le suis pas.*

CIORAN
(1911-)

moins à les organiser à la minute près. Bouger: ils n'aiment pas! Crier: ils deviennent hystériques! Je n'ai pas à affirmer ou à infirmer si c'est la bonne ou la mauvaise façon d'agir, mais les éducateurs tentent de leur donner un encadrement, un carnet de route. Peut-être que cela permettra de doser le manque ou l'absence de règles à la maison ou en classe! Il demeure que le milieu des garderies doit se joindre, tout comme le milieu scolaire, à titre complémentaire, à l'acquisition des apprentissages, des expériences et des découvertes et observer attentivement les jeunes qui se replient sur eux-mêmes. En somme, donner l'appétit de vivre aux enfants, préserver l'illusion et surtout ne pas tout corriger chez un enfant! Ce que vous ne jugez pas bien, par moments, peut devenir essentiel demain, et particulièrement si c'est contraire à vos convictions.

Selon une étude récente, nous passons plus de temps devant notre téléviseur qu'à rire, jouer et parler avec nos enfants. Les auteurs de l'étude (Statistique Canada, 1998) ont en effet calculé que **nous consacrons environ soixante et onze minutes par jour exclusivement à nos enfants**[8]. À peine plus d'une heure par jour! Le Québécois moyen passe plus de temps assis devant son téléviseur!

Septembre n'est pas seulement le mois de la rentrée des classes. Pour beaucoup d'enfants et de parents, il marque aussi la reprise des activités extrascolaires. En plus de la lecture, des devoirs et des leçons, la rentrée automnale inclut souvent piano, scoutisme, soccer, natation, gymnastique, hockey, et j'en passe. Ce n'est pas, selon Alvin Rosenfeld, auteur du livre *Hyper-parenting : Are you Hurting your Child by Trying too Hard ?*, nécessairement convenable. C'est un mois critique. Nous inscrivons nos enfants à des tas d'activités, convaincus, par exemple, que s'ils ne jouent pas au soccer, ils deviendront des inadaptés sociaux. Malheureusement, avec les meilleures intentions du monde, les parents produisent des enfants débordés, hyperstressés. Dès que les parents sont bien

---

8. *Le principal souci des adolescents, après l'éducation, est de ne pas passer «assez de temps» avec leurs parents.*

nantis, ils tombent dans ce travers. Le problème est pire en banlieue où les mères se transforment véritablement en chauffeuses. La meilleure chose que les parents puissent faire, en septembre, mais aussi toute l'année, c'est de passer du temps avec leurs enfants.

De nombreux parents ont la nostalgie de la liberté de leur enfance, mais laisser les enfants courir les rues ou la campagne est devenu bien dangereux. Pourtant, nous savons très bien, avec les études à l'appui, qu'il n'arrive pratiquement jamais rien aux enfants. Ce dont il faut réellement s'inquiéter, c'est de ces matchs organisés par les parents. Dans une équipe de sept enfants, seuls un ou deux s'amusent. Les autres rêvassent ou restent dans leur bulle. Mais autour du terrain, sept parents hurlent comme des déchaînés: «Vas-y! frappe la balle, frappe la balle!»

Cessons de rechercher continuellement que nos enfants soient assujettis à la «normalité»[9]. Comme le précisait Foucault: *«Battons-nous contre ces normalisations qui nous enserrent.»* Les enfants d'aujourd'hui se définissent dans un esprit d'indépendance dans lequel leur insolence, leur euphorie, leur force de détachement tendent selon une disposition unique, au gré d'instants qui, peut-être insignifiants de l'extérieur, s'inscrivent en eux comme les moments décisifs de

---

9. *Essayons d'apprendre à nos enfants à regarder avec l'exactitude d'un impressionniste les rapports de tons dans un lever ou un coucher du soleil, à observer les nuances des nuages, aussi diverses et changeantes que les nuances du cœur.*

leur histoire. Ce livre dit l'importance de savoir les saisir au vol. Le goût du jeu, l'envie de rire, la tentation de nouvelles expériences, les voyages, le droit de dire non à la chaîne des obligations et à celle des intentions de leurs aînés sont les éléments d'une jouissance aussi fragile que vitale pour leur liberté.

> *Vous êtes ce que vous avez fait et ce que vous serez sera formé par vos actes présents.*
>
> BOUDDHA
> ══════════
> (VIᵉ S. AV. J.-C.)

Pourquoi ne pas se fixer comme règle du jeu de ne pas s'ennuyer, de ne pas subir les situations, mais de toujours les varier, les transformer, se renouveler sans cesse, célébrer le réveil du matin, contempler les étoiles? Est-ce si compliqué? Cessons les automatismes, les mobiles d'efficacité, le pourquoi des choses... apprenons aux enfants à assimiler une souplesse, à aborder l'imprévu, à se laisser vibrer au rythme des pulsions, de l'aisance, de l'impensable, du risque, de l'abandon. Les enfants d'aujourd'hui sont anesthésiés par des mots qui tuent: mensonge, nostalgie, promesse, éthique, **raison**[10]... Il y a parfois des mots qui nous empêchent de vivre. Je crois que les enfants absorbent une quantité sévère de

---

10. *«Mais celui qui parle le langage de la raison est celui qui aime le moins.»* (Extrait de Les vaisseaux du cœur, de Benoîte Groult, Grasset et Fasquelle, Paris, 1988, p. 52.)

propos qui neutralisent leurs pensées, leurs désirs et leur envie de vivre. J'insiste pour dire à tous les enfants: «Évite de toutes tes forces la haine, l'envie et le mépris. Fais-moi le plaisir, chaque fois que tu es malheureux, de faire attention non pas à ce que tu entends, mais à ce que tu ressens, et de prendre le temps de réfléchir et d'écouter l'**opinion**[11] d'autres personnes. Envisage le meilleur. Tempère la crainte par l'espoir.»

Laissons, par moments, les enfants se débrouiller seuls. Cessons d'être toujours là à relever, à demander, à analyser, à diriger. Y a-t-il moyen de doser ces énoncés dans le quotidien de chaque famille? **Le courage s'accroît par la débrouillardise**[12]! L'estime de soi relève aussi de la bataille que l'enfant mène pour surmonter un obstacle, une défaite, un échec, une rupture... Faut-il se «**démolir**»[13] un peu pour acquérir du caractère, de l'aisance, de la combativité? Une chose est sûre et sans contredit, la facilité ne mène nulle part.

Les parents auraient des peines bien moins vives s'ils n'appliquaient pas toutes les forces de leur imagination à renouveler sans cesse le souvenir de leurs maux, au lieu de supporter un présent qui ne fait leur rappeler que le manque. Les enfants souffrent

---

11. *«Ce n'est pas parce qu'une opinion est rassurante qu'elle est vraie.» André Comte-Sponville*

12. *Des enfants sans initiative ne pourront avoir une grande estime d'eux-mêmes.*

13. *«Que ce soit dans le Tour ou à l'entraînement, ce que j'aime dans le vélo, c'est cet instant de bien-être qu'on ressent juste après s'être fait vraiment mal.» Lance Armstrong (Gagnant du Tour de France 1999, 2000, 2001, 2002, 2003) (Extrait d'un article du journal La Presse écrit par Pierre Foglia dans le numéro du 20 juillet 2001).*

de ce **rien**[14], de cette insuffisance, de cette **plainte**[15] que les parents s'amusent à leur remémorer.

L'enfant étant une pensée vivante et imprévisible, rejouée à chaque instant, il ne saurait se systématiser, devenir idéal et, en un mot, se figer et se soumettre aux exigences continuelles des adultes. Quand c'est le cas, alors, il importe de s'interroger. Pourquoi l'enfant s'est-il ainsi figé? En général, cela arrive quand celui qui contrôle n'a pas su être à la hauteur de la pensée, de l'innocence de l'enfant parce qu'il a fait passer sa volonté de domination avant tout. On est alors dans la lourdeur que produit le désir de maîtriser ce qui est plus petit, plus faible, plus innocent **au lieu de penser**[16]. Prenons en effet la vie comme une pensée se jouant à chaque instant et se risquant à chaque instant. Tout en étant dans la profondeur, on est dans la légèreté. **Les enfants ont besoin de légèreté**[17] dans les **mots**[18], dans les gestes, dans les regards. Une fois

---

14. *«Les enfants trouvent tout dans rien, les hommes ne trouvent rien dans tout.»*
    Giacomo Leoparti
15. *«Clairement, nous sommes ignorants de la plus grande partie de ce qui a existé. Au lieu de nous lamenter, soyons reconnaissants d'avoir, par miracle, retrouvé autant de choses...»*
    (Extrait de La fin des temps, entretien avec Stephen Jay Gould, Fayard, Paris, 1998, p. 67.)
16. *«La pensée est la plus haute vertu; et la sagesse consiste à dire des choses vraies et à agir selon la nature, en écoutant sa voix.» Héraclite, Fragments.*
17. *Un esprit léger supporte tout!*
18. *«Mais elle se demandait pourquoi elle devait se faire croire qu'il n'y avait pas beaucoup de mots. Elle se répondait que, lorsqu'une denrée était en abondance, on n'y faisait plus attention.»*
    (Extrait de La fin de la plainte, de François Roustang, Odile Jacob, Paris, 2000, p. 232.)

qu'ils sont déposés, rien n'est assuré pour autant. Comment ne pas voir que, quand tout se termine bien, rien n'est achevé? L'enfant demeure en attente tout le temps. Il ne sait pas se suffire. À la naissance, il a les pleurs pour interpeller les parents, et après, il a ses nombreux cris d'insuffisance. C'est ce qui fait qu'il est surprenant, étonnant, renversant, donc vivant. Installons-nous, à l'inverse, dans un horizon où tout est connu d'avance. Certes, c'est rassurant, on sait où l'on va, mais est-ce que cela n'étouffe pas tout ce qui fait la saveur de l'existence? Pourquoi vivre réellement les choses si celles-ci ont une issue connue d'avance? Le réel et l'imprévisible vont de pair.

> *Il est bien malheureux que les hommes et les femmes oublient qu'ils ont été des enfants. Les parents sont capables d'être des étrangers pour leurs fils et leurs filles.*
>
> G.-W. CURTIS
> (1824-1892)

Pour le petit enfant, le monde est un «perpétuel spectacle», car il ne fait, au début, que voir; or, la vue est «idéaliste» (Maine de Biran). Il y a ainsi, chez le tout-petit, «excès de subjectivité»; il ignore encore en ce sens l'œuvre, le travail, le réel. Aussi, convient-il de se demander si une société de spectacle comme la nôtre ne risque pas, à cet égard à tout le moins, l'infantilisme?

Est-il possible qu'un père ou une mère rend l'expression de ses gestes, l'harmonie de sa voix, et le secret de ses regards à son enfant accompagnés d'une tendresse qui pourrait le poursuivre durant toute sa vie? Est-il possible qu'un père ou une mère écrive à son enfant à 5 ans, à 10 ans, à 15 ans, le tout enveloppé et parfumé d'un arôme et qui ne sera découvert qu'à l'âge adulte pour en préserver le mystère? Est-il ironique de croire que les parents qui ont tant désiré leur enfant soient péniblement embrouillés, aveuglés par un présent qui leur souffle tellement d'incertitudes qu'ils n'arrivent plus à se rendre disponibles ni pour eux-mêmes ni pour les autres?

Quel prix on attache à un regard! **Les illusions d'enfant sont celles que les parents ont trop vite oubliées**[19].

Les enfants ont besoin de savoir: des mots pour le dire, des mots qui parlent au cœur. Mais qui ose le proclamer? Nous avons de moins en moins de phrases complètes, mais seulement des sons ou des notes déposés sur la table. Même comme couple, on aime dans son coin. Les enfants voient tout, rien ne leur échappe. Ils veulent voir, savoir, pas comprendre, mais sentir les choses. Laissons tomber les frivolités, les déclarations vides. Offrons-leur du texte, du verbe, de la chair. Un enfant triste a tellement de choses à dire!

---

19. *Il ne nous rend jamais plus heureux que lorsqu'il nous laisse nous bercer d'illusions.*

Tristesse et bonheur sont inséparables! Ne convertissez pas l'un pour l'autre. Les deux dorment d'un sommeil léger et toujours prêts à se réveiller.

L'enfant peut-il nous être utile pour penser et vivre dans le monde d'aujourd'hui? À cette question, on peut répondre «oui», car il nous apporte trois choses qui sont fondamentales pour vivre: la singularité, la grandeur et le style. La singularité consiste à n'être dans un rapport original avec la vie, ce qui consiste à être ni dans l'individualité ni dans le collectif. Ce rapport, on le trouve quand, revenant à l'intérieur de soi-même et de sa vie, on se met à penser. On est alors en marche pour découvrir ce que l'on a d'unique en soi et ce qu'il y a d'unique à l'extérieur de soi. Se voir soi-même d'un regard neuf et voir également le monde autour de soi avec un regard neuf. La singularité est la jeunesse du monde et de la vie. À cet égard, elle est inséparable de la grandeur. En effet, vivons les choses d'une façon unique pour découvrir que celles-ci ne sont pas ce qu'on les croyait être. Chaque enfant est unique. Il témoigne de la succession des événements et des découvertes qui, sans cesse, dévoilent des horizons nouveaux que nous ne soupçonnions même pas. Le style est la forme que l'on donne à sa vie. Miracle d'élégance. Ce que les enfants ont le plus à apprendre aux adultes que nous sommes, c'est **savoir être**[20] en faisant oublier l'effort même d'être. Le style que l'on

---

20. *Plus nous apprenons de nos enfants, plus ils apprennent de nous.*

attribue à l'enfant, c'est l'innocence. Voilà pourquoi il libère son existence.

Quoi qu'il advienne, nous savons qu'il ne faut pas avoir peur, que l'inexplicable sera déchiffré, qu'il reste une grille à appliquer sur ces enfants que nous qualifions d'enfants-rois. La liberté que Sartre concède à la personne, nous en connaissons la limite adorable: nous savons qu'un enfant aimé autant que nous le voulons vit aussi sa liberté dans le refus, dans la contrainte et la restriction. Les parents auront toujours à choisir entre les désirs et les limites, les restrictions et les facilités, les intentions et les contraintes. Quoi choisir? À quel moment? Avec quels critères justifier ses choix? Il n'y a pas de grille parfaite... les erreurs sont autant de façons d'y arriver.

Si l'on veut réfléchir à ce que pourrait être une sagesse d'aujourd'hui, il faut *re-centrer* le moi. Et, naturellement, on saura qu'on y est parvenu lorsqu'on l'aura *ressenti*... Après cette phase d'intériorisation s'annonce un mouvement inverse visant à briser la *clôture du moi*. C'est «*l' élargissement de la conscience*» qui permet de réintégrer nos forces et nos faiblesses, de nous ouvrir à des approches nouvelles et de repousser ce besoin de nous approprier, de tout conjuguer avec le verbe avoir. Les parents ont peut-être trop cultivé l'idéal (l'enfant idéal, le parent idéal, la famille idéale). Ils ont associé idéal et bonheur, ce qui est contradictoire puisqu'on souffre continuellement de ce qui nous manque. Il nous faut donc faire avec cette nouvelle donne. Autrement dit: élargir la notion de consentement. Prendre le tout de la condition humaine, doncen prendre aussi le manque. À une volonté matérielle – car c'est bien de ce dont il s'agit lorsqu'on parle d'idéal dans le langage occidental – de consommation, d'accessoire, d'apparence, il faut opposer une sagesse du vide. Une sagesse entre tout avoir et lucidité. Comme dans tout pari sur la vie, sur la vie pleinement vécue, l'enjeu est à la mesure du risque couru: s'il y a une force du consentement, elle ne pourra surgir que d'une adhésion sans réserve, non d'une acceptation résignée.

C H A P I T R E **6**

« Moi, plus tard, je ferai plus simple. »

« S'il avait dépendu de moi de ne pas naître, je n'aurais certainement pas accepté l'existence à d'aussi dérisoires conditions. »

DOSTOÏEVSKI,

L' IDIOT (1868)

Si je n'avais pas encore compris qu'il y a autant de malheur que de bonheur dans les mots «Je t'aime», peut-être n'avais-je pas davantage compris le sens de mots tout aussi usuels et familiers dont je fais, dans les conférences, ma profession quotidienne. Mais surtout, je fus subjugué par ce qu'on pourrait appeler des contenus implicites qui, après s'être accrochés aux mots, les accompagnent d'une façon tellement intime _ je serais tenté de dire organique _ qu'il devient parfois pratiquement impossible de parler sans mentir et parfois d'agir sans se leurrer.

Que dire du mot «enfant»? Que signifie-t-il? Que lui reste-t-il? Comment effleurer chacune des syllabes de ce mot sans verser dans l'ironie, sans rien oublier, rien substituer? Nous n'arrivons plus ou difficilement à saisir ce qu'on entend par «être humain». Pourquoi mettre au monde des enfants si nous leur proposons seulement des réalités axées sur l'excès, l'idéalisation, le paraître? Nous nous retirons par notre silence collectif. Il faudrait plutôt parler de notre indifférence. Nous nous sommes égarés. Il y a toujours quelqu'un – l'un des deux – qui est en retard ou qui n'a pas bien compris l'heure et le lieu du rendez-vous. Les enfants-rois souffrent justement de ce retard. Ce n'est jamais le bon moment, les parents se courent après, se ratant régulièrement sur les **valeurs**[1] à transmettre aux enfants, sur les attitudes et les comportements à promouvoir et autres associations.

Durant les années 1980, celles qui ont suivi le succès de la naissance sans douleur et l'avènement des techniques de procréation, les enfants souriants, les beaux bébés ont été omniprésents sous les feux de l'actualité. Leur image ainsi que le discours médical et obstétrical les concernant ont envahi les médias. Il y a lieu d'analyser, dans sa «pédophilie» (du grec *paidos*, enfant, et *philia*, amour : l'amour des enfants) ignorée, ce discours social omniprésent sur le désir d'enfant, l'amour des enfants, un discours auquel il était demandé à tous d'adhérer, parfois jusqu'à devoir s'identifier à la souffrance des couples stériles. Pendant la période suivante, au cours des années 1990, on a vu surgir, comme s'il s'agissait d'une réplique, la dénonciation explicite et insistante de la pédophilie, mais cette fois en visant les pathologies associées à ce terme. Un phénomène massif qui a plongé les éducateurs et les familles dans une atmosphère de paranoïa permanente et croissante. Enfant citoyen, enfant acteur, enfant adulte en devenir, tous ces thèmes renvoient à une sorte de «rupture», située en deçà de l'éducation et de la culture, forcément bonne et candide, qui n'est pas étrangère à tous ces dispositifs de protection de l'enfance et qui expriment à quel point l'état d'enfance est précieux. Ainsi, la reconnaissance de la singularité de chaque enfant et l'intérêt

---

1. *Sans valeur spirituelle, l'homme n'a qu'une valeur marchande.*

> « *Je suis au monde,*
> *mais je ne suis*
> *pas du monde.* »
>
> DEVISE DES GNOSTIQUES

spécifique qu'on lui porte sont en permanence contrebalancés par une tendance à prêter attention toujours plus précocement à la normalité des individus. Aurait-il lieu de se demander si, en développant une conscience accrue des déterminations qui pèsent sur la gestation et sur la petite enfance, on lui demande trop et on limite en même temps sa portée en tant que processus ouvert, incertain?

Avec la nécessité de se ranger sous la bannière d'un idéal bienveillant, de promettre en quelque sorte de vouer un amour éternel et inconditionnel à ceux dont ils s'occupent, les parents et autres intervenants ont peut-être adopté une sorte d'«amour» diffus, qui ne se veut plus spontané et très affectif, mais qui s'autorise désormais d'un ramassis de connaissances variées allant du lieu commun à la pédagogie, en passant par la psychologie et la psychanalyse. Alors on se cramponne à l'idée qu'il existe des recettes pédagogiques, une technicité nouvelle qui permettraient de faire face à la situation. On n'espère plus autant qu'auparavant trouver le bon «procédé» du côté de la relation pédagogique, de l'attitude à développer. On espère plutôt s'en sortir grâce à une amélioration du diagnostic portant sur les situations éducatives et sur les enfants eux-mêmes. Les concurrents (société de consommation, médias, divertissements) sont-ils trop nombreux à affronter pour penser apporter un soutien solide à défaire ou à polir ce que ces enfants ont amorcé? Car, serait-il approprié de dire que l'éducation ne s'accorde guère avec les valeurs dominantes de la société de consommation? Dire aux enfants-rois que, loin d'obtenir la jouissance et le plaisir qu'ils voudraient éprouver dans l'immédiat, et jusqu'à se sentir comblés, ils demeureront irrémédiablement confrontés au manque et se buteront à des interdits ne saurait être très «populaire». Avec l'entrée, depuis une quinzaine d'années, dans un univers où l'on célèbre l'hyperconsommation, cette ouverture n'a fait que croître et embellir. Et le malaise est bien là, installé dans ce qu'il est convenu d'appeler la crise de l'**éducation**[2]. Une crise dont on parle d'autant plus qu'on ne la comprend guère, puisqu'on se contente souvent de l'attribuer à un défaut du système éducatif plutôt qu'à une butée inhérente à la fonction éducative.

Si les enfants-rois invoquent leurs «droits», parfois à tort et à travers, lorsqu'ils n'obtiennent pas

---

2. *Mais l'école n'assure-t-elle pas la transmission des savoirs? « Autrefois, oui, mais aujourd'hui, on a décidé, dans les petites classes, de donner la parole avant de donner la langue. Le résultat est une école productrice d'illettrisme, car nous ne pouvons être nous-mêmes que si nous sommes rendus capables, par d'autres, d'évoluer avec aisance dans une langue dont nous ne sommes pas les inventeurs. L'identité se forme à partir de cette dépendance, de cette dette. » Alain Finkielkraut*

satisfaction à leurs besoins ou à leurs demandes souvent exprimés dans le registre de la consommation, il existe un revers à cette «médaille». Certains, de plus en plus nombreux à ce qu'en disent les enseignants, connaissent une réelle difficulté à supporter les frustrations que supposent les processus d'apprentissage et de socialisation. Parallèlement, les parents actuels accusent très souvent un réel embarras, lorsqu'ils ne s'avouent pas eux-mêmes «en crise», devant l'exercice de l'autorité et le fait de poser des limites. Ils se disent impuissants quand il s'agit de faire renoncer leurs enfants à certains de leurs desseins, incapables de ne pas céder devant l'impérieuse volonté de leurs chers petits. Le temps de l'adolescence, en particulier, se prête à la multiplication d'affrontements entre les générations particulièrement toniques. Ces joutes se concluent trop souvent, déplorent notamment les psychanalystes, par une sorte de démission impuissante de la part des éducateurs.

L'adulte des lendemains de la réforme de 1980, qui s'est révélé pédagogue à ses propres yeux, qui a découvert les vertus d'une éducation non traditionnelle, qui a rompu avec les modèles des générations précédentes, a été durant plus de vingt ans légitimé dans son propre intérêt – on pourrait même dire son amour – pour la relation éducative, devenue son cheval de bataille. Il a appris à la décliner en «respect de la liberté de l'enfant», en «développement de son autonomie», et en «savoir accueillir les appels, les écouter, découvrir le sens de la demande et du désir de l'enfant, déchiffrer les signes de sa vie intérieure».

Deux décennies plus tard, au tournant du siècle, nous sommes confrontés à une double série d'«images», qui témoignent à la fois d'une crise affectant tant l'éducation, les éducateurs que les parents, et d'un certain malheur enfantin, d'une errance juvénile. On a cru en une éducation plus «holistique», autrement dit tenant compte de la totalité de la personne qu'est l'enfant, sa sexualité comprise. On a cru aussi à une éducation non violente, moins autoritaire, plus pédagogique. Mais tous ces espoirs paraissent désormais vains, alors qu'on se résout à nou-

> « Le temps répare les torts. »
>
> PROVERBE ITALIEN

veau à redouter la réhabilitation de certains enfants et qu'on est entré, par ailleurs, dans une ère du soupçon à propos de toutes les relations avec les enfants.

Une première série d'«images» qui nous envahissent quotidiennement représente ainsi un enfant en danger, exposé à la maltraitance, aux agressions sexuelles et à l'abus de l'autorité, à la violence, à la séduction, bafoué dans ses droits, ballotté par des adultes immatures ou égoïstes, voire «archaïques» dans leurs pratiques éducatives. Mais, dans le même temps, une autre série d'«images» nous renvoie vers une tout autre représentation des jeunes qui contraste avec cette figure de victimes. Il est question de jeunes en bande – marqués par une appartenance collective – violents, «incivils», «tyrans», maltraitant les adultes, défiant l'ordre et l'autorité, menaçants pour les institutions.

Au-delà de leur dimension de clichés, ces images campent le trouble ressenti dans l'univers de l'éducation. Un trouble qui se définit et qui fonctionne de façon circulaire. En effet, dans notre société qui se reconnaît toujours plus protectrice, on soutient que l'enfance est un moment décisif, tant pour la construction subjective que sociale des individus, mais on constate aussi que les adultes censés accompagner le processus éducatif sont défaillants, et que l'enfant en pâtit, devenant la victime. Déchus, ayant perdu leur statut de référents indiscutés, ces mêmes adultes sont pourtant sans cesse mis au défi de prouver qu'ils sont capables de remplir la mission d'éduquer.

Défaillants, les parents vont jusqu'à être tenus responsables des états psychiques de leurs enfants, et même de leurs comportements violents et inadaptés, du fait qu'ils «passent à l'acte», de leurs déviances et échecs. Leur incapacité à exercer une quelconque autorité parentale serait la cause de ces «dysfonctionnements». De façon plus implacable, on explique le «ratage» éducatif en retournant vers l'origine, vers une éventuelle carence affective, un «handicap culturel».

Hannah Arendt identifiait déjà une crise de l'éducation, incluse dans la crise plus générale de la culture, il y a près de cinquante ans. Or, s'employer à éduquer, tant pour les parents que pour les professionnels, c'est désormais surtout aller de l'avant, là où selon Arendt il conviendrait, pour ménager l'autorité et faciliter son exercice, de préserver le rapport au passé. Le monde actuel, déplore-t-elle, «n'est pas retenu par la tradition». Des propos qui résonnent jusqu'à notre époque, quand on remet parfois en question, un cran plus loin, la notion même d'éducation, et quand on considère comme cruciale la question de la transmission. Les enfants-rois souffrent «d'une crise de la transmission des valeurs», disait récemment le directeur d'une école primaire.

Le «je veux» orienté vers la société n'explique plus rien lorsque cette appropriation vise son prochain. On se trouve dans une situation où les interdits fondamentaux ne tiennent plus. L'enfant-roi, en lieu et place des mots auxquels tout sujet «normal» recourt, se précipite dans le passage à l'acte, la transgression, la fuite en avant.

Éducation, bonne éducation : la connotation de ces termes renvoie effectivement à une dimension morale, héritée directement du XIXe siècle, où l'enjeu était de «régulariser» l'enfance. On parlait alors d'enfance dangereuse, menaçante. La bonne éducation c'était, et cela demeure encore, dans le sens commun, l'acquisition des «bonnes manières». Elle commence dans la famille pour se poursuivre dans les institutions scolaires. Et ce qui va se dire dans la famille à propos du monde extérieur, à propos des événements, est déterminant pour la suite.

Or, les jeunes qui aujourd'hui font problème nous posent une «colle» par leur **ingratitude**[3] ou par leur asocialité. Ils semblent enfermés dans une dualité, une confrontation duelle. Toutes leurs relations deviennent affrontement. Et d'ailleurs fréquemment l'autre, l'étranger à soi, au groupe, est une menace. Il n'y a plus de repères pour garantir l'altérité, pour réguler les relations. Il s'agit du «narcissisme des petites différences» dont parlait déjà Freud, consistant pour le sujet «à traiter en ennemis tous ceux qui restent en dehors de lui».

Soit dit en passant, les figures de la haine ou d'autres attributs portés à l'enfant-roi ne sont pas l'apanage d'une population de jeunes d'exception; nous les croisons, les côtoyons dans la société, au travail ou dans les institutions. Marcel Gauchet a estimé qu'on pouvait attribuer cette pathologie d'une manière générale à l'individu contemporain. Le sujet, fortement individualisé, déconnecté du tout, n'ayant de comptes à rendre qu'à lui-même, se vit comme menacé par l'autre.

Ce que nous font redécouvrir les jeunes que l'on a étiquetés «enfants-rois», ce n'est pas un état imaginaire d'enfant non touché par la civilisation, une sorte de guerrier vivant dans une belle maison de banlieue assortie de quatre chambres à coucher, de trois salles de bain et de trois téléviseurs, mais que toute

---

3. *De cette ingratitude qui grandit toujours, et de ces passions qui augmentent sans cesse résulteront tôt ou tard d'effroyables ruptures.*

éducation achoppe sur des contingences et des déterminismes qui la dépassent, qui lui sont extérieures et la limitent. L'éducation, de toute façon, bute toujours sur des sujets dont on ne veut entendre, ou retenir, qu'une partie, une petite partie. Parce qu'ils sont mus par d'autres forces que le désir adulte, des forces inconscientes qui peuvent prendre la forme de réactions et de révoltes, voire des forces plus chaotiques, liées à la jouissance, au plaisir immédiat et à la rivalité sociale et familiale.

«La jeunesse s'oublie dans sa propre ardeur... Quand elle a compris où réside la **beauté**[4], elle s'abandonne sans réserve.» (Alfred North Whitehead) La beauté, chez l'enfant, se mesure à ce privilège qu'est l'insouciance. En 1960, nous demandions à l'enfant: «As-tu compris»; aujourd'hui, nous précisons: «Qu'est-ce que tu as compris ?» Nous procédons à une analyse détaillée de tout ce qu'un enfant peut vivre chaque jour. Le moindre incident interpelle les parents de manière à trouver le ou les responsables. Les parents cherchent des solutions à leurs caprices, leurs demandes, leurs doutes. Plus rien maintenant ne peut contenir les parents de cette forme de malentendu qui s'est introduit dans le quotidien de la relation entre les parents et les enfants. L'amour de certains parents est comme une corde passée au cou de l'enfant: au moindre mouvement de celui-ci vers la vie, le nœud coulant se

---

4. « La beauté, c'est tout ! » disait Musset.

resserre! On n'a qu'une faible idée de l'amour à l'égard de son enfant tant qu'on n'a pas atteint ce point où il est pur, c'est-à-dire non mélangé de demandes, de plaintes ou de manques.

C'est étrange, mais la moindre broutille, aujourd'hui, semble prendre des proportions vraiment incroyables, et dire d'une chose qu'elle est «sans grande importance», c'est pour ainsi dire blasphémer. Il n'y a aucun moyen de savoir – comment dire? – lequel de nos actes, laquelle de nos insignifiances restera à jamais sans conséquence. Pourquoi cet acharnement des parents à tenter de tout expliquer, de tout analyser, de tout justifier à l'égard de leurs enfants? Tout ou presque est devenu si compliqué, alors ne soyons pas surpris, nous les adultes, si les enfants se disent en secret: «Moi, plus tard, je ferai plus simple.» Pourquoi cette idée constante de négociation entre les parents et l'enfant autour d'un dialogue qui, au fond, dans la majorité des situations, tourne à l'excès et qui sert à peu de chose si ce n'est à chercher ni plus ni moins à évaluer, à juger, à «**guérir**[5]» l'enfant d'un «défaut» ou d'un malaise? Petite parenthèse, il est intéressant de noter que depuis une vingtaine d'années maintenant, les jeunes passent la majeure partie de leur temps à la maison et qu'ils entendent tout ce que les parents racontent sur leur carrière, leurs amitiés, leurs collègues de travail et autres subtilités qui, trop souvent, sont abordés de façon négative,

5. *« La guérison est une question de temps, mais parfois, elle est également une question de possibilités. » Hippocrate, Épidémies.*

voire malicieuse... Alors, ne soyez pas surpris si la plupart des jeunes ne veulent pas s'intéresser ou s'intéressent si peu à la vie. Nous leur compliquons l'existence par nos récits sombres et parsemés de **jugements**[6] et d'incongruités. Autrefois, nous voulions perpétuer ce que nos parents faisaient comme boulot ou représentaient comme personnalité. Aujourd'hui, rares seront ceux qui voudront s'engager dans la même profession que leurs parents compte tenu de toutes les anomalies énumérées à l'égard de ce travail.

Au fait, que diriez-vous, les parents, de cesser de parler de choses négatives à la maison en présence de vos enfants? Ils entendent tout, captent tout, chaque mot s'insère précieusement dans leur tête et trouve refuge dans des attitudes et comportements qui ne se manifesteront pas toujours comme vous le désirez. Il en va de même pour la consommation : l'enfant-roi se construit autour d'un monde éphémère, il n'y a rien de durable, rien de stable, les modes changent, les oublis restent. Prenant leurs parents en flagrant délit, c'est-à-dire qui passent d'une bébelle à une autre à une vitesse affolante et, d'autre part, qui ont, à cause de leur absence, cherché à tout monnayer : les pleurs, les silences, les échecs... alors, soyez assuré que ces enfants se feront un malin plaisir de vous balancer par-dessus bord.

---

6. « Ne juge personne avant de te mettre à sa place. » Ce vieux proverbe rend tout jugement impossible, car nous ne jugeons quelqu'un que parce que justement nous ne pouvons nous mettre à sa place.

Nous sommes devenus si compliqués, nous les adultes, par le truchement de nos **évasions**[7], que nous cherchons à tout modifier de l'extérieur, à camoufler nos erreurs, à dire aux enfants : soyez joyeux, dépensiers, consommateurs dans un tourbillon incessant où l'essoufflement combiné à l'angoisse engendrée par le manque finissent par déloger les bonnes intentions. Autrefois, nous disions : épargne et travail. Aujourd'hui, nous employons à grand renfort de publicité : dépense et gaspillage. Comment voulez-vous que les jeunes puissent entreprendre leur vie avec enthousiasme si les parents et la société proposent un discours complètement assombri, voire dénué de **sens**[8] ? Comme parent, comme éducateur, comme gouvernement, nous administrons des leçons à tout le monde, mais notre pratique réelle ne suit pas notre pensée.

Aucune volupté ne surpasse celle qu'on éprouve à l'idée qu'on aurait pu se maintenir dans un état de pure possibilité. Liberté, bonheur, espace – ces termes définissent le cadre que les parents tentent d'offrir à leurs enfants. Mieux encore que dans le malaise et l'accablement, c'est dans ces instants d'une insoutenable plénitude que nous comprenons la réalité de ce que représente l'enfant-roi. Nous retrouvons cette réalité lorsque, à la faveur de quelque état extrême, nous liquidons notre identité et brisons nos limites.

---

7. *Dès que l'évasion devient prioritaire, nous sentons bien que nous vivons mal.*
8. *Seul le geste du sacrifice ferait évoluer, avancer les choses.*

Nous aimons dire que personne ne ressemble à personne. Pour être certains de ce que nous sommes, nous devons être intimement persuadés que nous témoignerions, quoi qu'il arrive, du caractère unique et irremplaçable de toute vie humaine. En fait, nous catégorisons à tour de bras. Nous faisons des tests génétiques. Nous déclarons qu'«il ne sort rien de bon de ce quartier-là». Les parents demandent sans cesse : «Est-ce que tu m'aimes?» Nous cherchons des prénoms auprès d'agences de parfums, de dieux grecs, de villes historiques : «Chanel, Maya, Magalie, Me love, Love me, Lovelie». Les superlatifs sont de mise : «Découvrez votre petit génie!», «l'enfant rêvé». Nous soupirons : «Il faut bien que jeunesse se passe.» Nous étudions «l'enfant et l'hyperactivité», nous honorons «les thérapeutes de tout acabit». Malgré notre indifférence formelle, nous ne cessons d'apprendre cette vieille évidence que nous ne pouvons contrer, en nous comme autour de nous, l'ampleur que représente l'image, voire la célébrité, la renommée.

Et tout à coup, nous butons sur l'enfant, seul au milieu d'une vaste plaine, sans analogie possible. Sans doute le seul qui vit spontanément, sans artifice, sans malice, tout au moins dans les toutes premières années de sa vie (de 0 à 3 ans). Au lieu d'inventer des anecdotes pour redonner un peu de chair à un enfant en devenir, nous nous sentons obligés d'élaguer l'épais recueil de leurs malaises.

Car nous avons fait de l'enfant l'incarnation de la consommation et de nos délires. En réalité, il est innocent. Dans toute cette histoire, le principal personnage, l'enfant-roi, n'a pas de visage précis. C'est le temps. Ce tournant d'une société d'autrefois axée sur l'obéissance, l'autorité, la rigueur à une société d'action présentée sous des artifices de paraître, de réussite, de performance, a rebondi avec comme conséquence que l'enfant est dorénavant livré à lui-même. Il ne s'agit pas de savoir si dans les années 1960 c'était mieux comparativement à aujourd'hui, c'est plutôt l'excès des contraintes pour l'un versus l'excès des plaisirs pour l'autre qui a conduit inévitablement à ce brouillard. Comment se fait-il que nous n'arrivons pas à doser, à trouver un juste équilibre dans tout ce que nous faisons ou entreprenons? Nous aimerions croire que la jeunesse, l'ardeur, l'audace, le courage et l'intelligence naturelle viennent toujours à bout des entraves et des pièges de la modernité, rien n'est pourtant certain, toute la fragilité demeure.

Nous avons tous besoin de l'enfant, car il nous purifie de nos réflexes honteux ou mesquins. Si nous l'**aimons**[9], notre société ne peut pas être totalement indifférente. Si nous considérons sa fragilité comme une victoire, nous ne mesurons pas le succès uniquement à la durée ou à l'efficacité. Si nous le révérons, nous sommes meilleurs que ce que notre conduite peut laisser croire. Il est la baguette magique qui fait apparaître la meilleure part de nous-mêmes.

---

9. *Il faut aimer le monde pour pouvoir le peupler. Un monde sans âme est aussi un monde sans hommes.*

L'enfant est pourtant bien plus intéressant en lui-même que comme incarnation de nos fantasmes. L'enfant-roi qui est le vôtre, qui ne reflète pas moins qu'une série de désirs, de possessions, de convoitises, est d'abord un enfant. L'enfant-roi impertinent, mendiant, exaspérant, imprudent, s'est donné à une cause qui le dépasse, au point de s'oublier lui-même. Il parle trop, se contredit souvent; il trébuche en silence. Il refuse aussi les explications. Quiconque s'y essaie doit savoir que son projet est voué à un échec au moins partiel.

L'enfant-roi se prépare à entrer en scène chaque jour et y emploie tout le génie que la nature lui a alloué pour la manipulation des symboles. Il s'apprête dans diverses circonstances à recevoir une vraie armure et une maison digne d'un prince. La naïveté de l'enfant-roi paraît ahurissante, mais elle confirme son inexpérience et renvoie jusqu'à un certain point à la méfiance des adultes à porter un regard sur eux-mêmes. L'enfant-roi est à la fois issu de l'idéalisme de ses parents, d'une société qualifiée de narcissique et de l'obsession du paraître... «Je vois, je veux.» «Je veux, j'exige.» Ou encore pour emprunter l'expression de Pascal Bruckner tirée de son livre *La tentation de l'innocence* (Grasset, 1995) : «Je souffre, donc je vaux.» En quelques mots, il tente de s'approprier des **jouets**[10]

---

10. *Le poète William Butler Yeats, dans l'une de ses lettres à son fils poète, John Butler Yeats, écrit : « L'enfant qui a de nombreux jouets ne peut trouver le bonheur... Devoir compter sur soi-même, telle est la doctrine de la sincérité. »*

pour rivaliser avec des adultes que nous pourrions qualifier d'**enfantins**[11]. Est-ce le manque d'écoute, ou encore l'absence des mots, des gestes qui ont propulsé ces enfants vers des attitudes compensatoires? Il s'agissait essentiellement d'apporter une certaine qualité relationnelle et affective à ces enfants. Il est désormais question de développer à l'égard de ces enfants un autre type de relation : le langage y prend une importance quasiment symbolique et non plus seulement affective et, c'est nouveau, l'histoire de l'enfant doit pouvoir être mise en mots devant lui.

Si je le pouvais, je commencerais cet essai en détruisant tous vos repères spatiotemporels. Je vous remettrais, non des pages imprimées, mais une enveloppe bourrée de notes et de photos. Je vous demanderais de l'ouvrir, d'en répandre le contenu, d'en faire une pile et de lire ou de regarder chaque pièce dans l'ordre où vous l'avez ramassée. Ensuite, vous devriez tout remettre dans l'enveloppe, la vider à nouveau, reclasser les papiers et les relire. Et ainsi de suite, tous les classements étant valables. Jusqu'à ce que vous ayez l'impression d'avoir compris quelque chose sans être sûr de rien. Jusqu'à ce que vous acceptiez l'idée d'un reclassement constant des fragments de savoir, un reclassement nécessaire puisque la connaissance est par essence provisoire, sujette à révision, à

---

11. *Cet homme, Nietzsche l'appelle « l'homme loisir ». Il tombe en loisirs comme on retombe en enfance. S'il n'a le droit de rien rater, c'est qu'il ne peut plus rien réussir d'autre que sa propre vacuité.*

restructuration et à contradiction. Jusqu'à ce que vous ne cherchiez plus à connaître l'inconnaissable.

Le pouvoir premier dont disposent les parents c'est le pouvoir de parler, de dire, de discourir. Le mot juste, la phrase et ses ambiguïtés, le discours avec ses significations multiples. Ce sont ces structures que l'enfant parlant se réapproprie dans l'acte du discours par lequel il désigne les choses, décrit son monde, s'exprime lui-même, communique son savoir. Entre la compétence au langage et le contenu du langage se dressent tous les obstacles à l'accès de chacun à sa propre parole, soit en lui-même, soit en public. Ce n'est pas seulement à des difficultés liées à l'ambiguïté, à l'équivoque et à l'incompréhension, mais aussi à des empêchements intimes que la maîtrise propre du langage est confrontée. La façon dont le parent se présente, le ton de sa voix, la posture qu'il adopte dans le fauteuil, sa tranquillité ou son inquiétude, la qualité de sa présence, le poids ou l'inconsistance de sa parole indépendamment de son contenu seront des signes qui décideront de la valeur du futur parcours.

Il suffit que les mots soient justes. Les mots justes naissent de la relation comme des étincelles fugitives. Paroles magiques qui transforment. Puis vient la pulsion de faire monter la sève dans les mots. L'étrange pulsion de dire notre vie, comme cela, sur-le-champ, entièrement.

Pouvoir parler est difficile. S'il est difficile de parler, il faut dire aussi qu'agir c'est se confronter à un monde aux jugements hâtifs. La difficulté que nous avons à élever des enfants relève tout simplement du fait que nous comptons davantage sur les opinions que sur le bon sens. Soyez ceci, soyez cela !

Nombreux sont les enfants qui attendent, de la part de leur parent, un signe, une réparation. Un simple geste qui transforme, qui oriente, qui rompt aussi avec les maladresses accumulées, les négligences ensemencées et les doutes entrelacés comme des lianes qui s'entremêlent toujours un peu plus chaque jour avec une telle emprise que seule la fuite permet, pour un moment, un certain soulagement.

Pourquoi les parents tiennent-ils tant à lui arracher des précisions? Si on veut être charitable, on dira que c'est pour mieux le comprendre. Or, il n'en est rien ! Les parents auront beau s'escrimer, l'enfant leur échappera. Devant eux, l'enfant-roi est l'inconstance même, tantôt refusant de répondre, tantôt impoli, retranché, voire menaçant. Dans son rapport avec le parent, l'enfant-roi ne retiendra que les réponses formulées selon ses vœux, c'est-à-dire celles aux allures d'immensité, d'accumulation, d'unicité. Le fait demeure que plus le parent le questionne, plus l'enfant s'épuise, et plus ces demandes seront gargantuesques.

Tout compte fait, que signifie le mot «rigueur»? À quoi sert ce mot quand on ne croit plus à l'autorité? À quels comportements peut-il s'appliquer? L'enfant-roi vit allégrement sans presque aucune punition, aucune restriction, aucune conscience de la portée de ses actes. Un enfant doit intégrer dans son éducation cette alternance entre l'émotion et la raison, la liberté et la **contrainte**[12], la facilité et la rigueur. Il n'est absolument pas question de sortir d'un pôle comme de l'autre, c'est-à-dire que ces forces doivent rester en équilibre pour devenir en quelque sorte les rouages qui permettront aux enfants de faire face aux défis auxquels ils seront confrontés.

Les parents évoquent d'abord le respect, mais qu'est-ce que le respect de nos jours? À quelles vertus attachons-nous de l'importance? Peut-on seulement honorer la vertu, sous quelque forme que ce soit, quand on croit que l'intérêt égoïste dicte tous les actes individuels?

La survivance du mot «parent» dans le vocabulaire courant témoignerait-elle d'une faille dans l'une de nos principales grilles d'interprétation du monde? Ce mot ouvrirait-il une porte – que nous sommes aussitôt tentés de refermer – sur un agir qui dépasse l'intérêt individuel? Une économie de pure dépense – oui, car c'est bien de cela qu'il s'agit lorsqu'on parle de l'enfant-roi : des dépenses – où devoir et désir se confondent pour des périodes beaucoup plus longues que les rares moments de grâce d'une vie ordinaire? Une vie vécue au présent absolu, sans calculer les coûts ni anticiper les conséquences?

---

12. *Chez l'enfant-roi, la liberté consiste à choisir ses contraintes.*

Vue de près, l'histoire de l'enfant-roi n'est pas un long fleuve tranquille, mais une brève succession de cascades et de remous. Le seul hommage vraiment juste que nous puissions lui rendre, peut-être, c'est d'admettre qu'il continuera à nous glisser entre les doigts, que nous serons toujours obligés de réviser nos positions à son sujet. Il provoque chez tous ceux qu'il fascine une réaction d'appropriation dont même le mot «tyran» ne rend pas l'intensité. Il demande à nous appartenir, et nous insuffle aussi le désir de lui appartenir.

Mais il ne reste jamais immobile assez longtemps pour se laisser prendre.

Les demandes auxquelles les parents cèdent continuellement, ainsi que l'argent et le matériel indéfiniment accumulés, sont les deux faces d'une même pièce de monnaie dépourvue de valeur. Ce qui rend la liberté et le bonheur possibles, chez les enfants, c'est une forme d'entendement. Quand, tout au fond de soi, on se sent en possession de cet entendement, on crée un rapport entre la pensée et l'action. En ce moment essentiel de l'élaboration de ses idées, je ferai remarquer que la douleur et l'échec peuvent rendre l'enfant malheureux, mais ne peuvent pas humilier aussi longtemps si c'est lui-même qui dispose de sa propre faculté d'agir. Montrez-lui à agir, à réagir, à se construire autour d'un sentiment de l'honneur, du respect de lui-même et des autres. Apprenez-lui à supporter

---

13. *Oser dire non : il y a ceux qui le refusent. Et ceux qui en abusent. Que faut-il en conclure?*

le vide, le «non[13]», le silence aussi. Nous avons à définir ensemble ce que nous entendons par «vérité», et les critiques qui peuvent raisonnablement la satisfaire.

Il faut creuser plus profondément. Nous ne pouvons pas épargner cette génération d'enfants issue d'un monde axé sur l'extériorité sans apercevoir ce que les parents angoissés et distancés ne peuvent assimiler. Pour pouvoir le faire, il faut séparer les éléments qui ne vont pas ensemble, même s'ils ont un point commun. Il faut voir d'où cette angoisse, ce malaise découlent. Sa source serait-elle le manque de discipline, ou le fruit d'une culture – au sens le plus large du mot – ou encore d'une société qui a banni l'autorité? Si nous mélangeons les sources de notre angoisse et de notre malaise, elles se transforment en une source d'aberrations.

Un enfant de moins de douze ans n'a pas besoin d'un encadrement systématique sur l'explication de tout et de rien. Son monde se résume en grande partie à ceci : «Va jouer dehors.» Laissez-le vaquer à sa réalité, c'est-à-dire ce mélange d'insouciance, d'innocence, voire d'**ignorance**[14], tout en intervenant lorsque ses **choix**[15] dépassent certaines limites que vous jugez inopportunes ou lorsqu'il s'enlise dans ce «toujours plus», dans ce «moi, moi, moi», dans ce «regarde-moi, sinon !»; alors, c'est à vous d'agir et d'appliquer sans

---

14. *L'ignorance confère aussi des privilèges.*
15. *Vous négociez le prix, mais rarement l'achat.*

attendre quelques règles, quelques mots dissuasifs, quelques interdits.

Nous avons beau insister pour que les parents montrent à leurs enfants à découvrir la beauté des choses de **l'intérieur**[16], rien n'y fait, tout se mélange entre le réel et l'idéal... tout comme les adolescents, que l'on dit blasés, renfermés, agressifs. Indifférents à tout, sauf à leur portable et à leur bande de copains. Des adolescents paumés dans une société sans pères et sans repères.

Une jeune fille m'écrit : «Mon enfance se résume à avoir été tiraillée entre deux parents avec l'espoir secret qu'ils se remettent ensemble.» Alexandre quant à lui constate : «Voilà, j'ai la chance d'avoir mes parents. Dieu sait que c'est rare en ce moment.» Le divorce est entré dans les mœurs, mais les enfants ont toujours du mal à le digérer. Ceux qui ne l'ont pas connu en ont «une trouille bleue». Étienne de son côté raconte : «Un jour, vers mes sept ans, le divorce pointa son nez. Mes parents m'ont dit : "On se sépare pour mieux s'aimer." Je continue à méditer cette phrase.» Unie, divorcée, recomposée... la famille, c'est important, disent-ils en chœur. Non, il n'y a pas de divorce sans traumatisme. Oui, les enfants trinquent au gré des unions, désunions et réunions parentales. La banalisation de la rupture – on compte plusieurs milliers de divorces par an en Amérique – n'a pratiquement pas entamé les

---

16. *L'appauvrissement de l'intériorité laisse une place excessive à l'extériorité.*

discours pathologiques. «Au moindre problème chez l'enfant de divorcés, si ses notes chutent, s'il déprime à l'adolescence, on invoque la faillite conjugale, observe Gérard Neyrand, sociologue (*L'Enfant face à la séparation des parents*, Syros, 2001). Les couples d'aujourd'hui trouvent légitime de divorcer : on ne s'aime plus, on se quitte. Du coup, la culpabilisation liée au divorce s'est déplacée sur les enfants.»

Mais tout le monde s'accorde sur ce point : ce n'est pas tant le divorce que la manière dont les parents se séparent qui perturbe l'enfant. S'il est pris en otage, privé de l'un de ses parents, si personne ne le rassure, c'est un vrai traumatisme.

Les enfants se sentent rassurés si les exigences sont précises et régulières. Il faut que les règles soient claires, que l'enfant sache ce que l'on attend de lui. Il est très angoissant de s'entendre reprocher de ne «jamais aider à la maison», alors que l'on ne vous a rien demandé de précis. Pour qu'un enfant se mobilise, il est utile de lui laisser un peu de «manque». Au départ, la maman apporte une solution systématique aux problèmes de son bébé, elle anticipe même ses besoins. Progressivement, il va falloir sortir de ces «réponses à tout». À mesure que l'enfant grandit, il aura besoin qu'on lui laisse éprouver des petites frustrations avant de lui apporter une solution : ça lui permet d'éprouver du désir, d'élaborer des stratégies, de développer son intelligence et son imagination.

Malgré tout son réalisme, une mère m'affirma : «Si seulement on pouvait être un peu plus soi-même.» En sentant toute la passion qu'il y avait derrière ces mots – et en voyant sa colère contre les «**thérapeutes**[17], toujours plus de thérapeutes» et contre les «exigences sociales», et contre les «gens qui n'ont pas de principes et qui ne pensent qu'à leur intérêt personnel», nous avons évoqué la famille. L'interminable est la spécialité des indécis. Ils ne peuvent trancher dans rien, et encore moins dans leurs actions, où ils perpétuent leurs hésitations, leurs lâchetés, et leurs scrupules. Bien souvent, trop souvent, les enfants-rois sont issus de ce cauchemar. Il existe par bonheur des exceptions.

Nous sommes désormais jetés dans le règne de «l'individu incertain» (selon l'expression d'Alain Ehrenberg). Sans racines, presque sans attaches, seuls. La solitude, elle est bien là, tapie, aux aguets. La vie des enfants-rois se contorsionne autour de claviers d'ordinateurs, de pollutions électroniques, d'accumulation d'accessoires, de rencontres virtuelles, un face-à-face qui n'aura jamais lieu – tout comme avec ses parents. Le brouillage des modèles offerts aujourd'hui, en constante évolution, augmente-t-il le risque de l'indifférence? Et rend-il plus difficile la rencontre entre les personnes d'une même famille?

---

17. *«Tout son travail se résume en un mot qui est un ordre: Madame, Mademoiselle ou Monsieur, changez de comportement, trouvez le geste qui vous réconcilierait le mieux possible avec vous-même, les autres et le monde.» (François Roustang,* Il suffit d'un geste, *Odile Jacob, 2003, p.78-79.)*

La pertinence et le poids des identifications parentales sont confirmés par l'observation clinique des pathologies adolescentes. L'identification aux parents est cardinale dans les choix non seulement amoureux, mais aussi dans ceux qui relèvent de l'amitié, de même que de la profession : ce qui a été vécu par l'adolescent dans son enfance demeure extrêmement prégnant.

Si les modèles parentaux sont à ce point déterminants et si une nouvelle génération grandit sous le signe de la confusion des genres, il est important que les nouveaux stéréotypes soient porteurs d'identités suffisamment différentes.

Car si nous nous présentons à la rencontre bardés de déterminismes biologiques, intellectuels, sociaux, psychologiques et affectifs, l'impérieuse exigence des stéréotypes culturels fait – ce qui est le cas en ce moment – que tous les jeunes cherchent – et continueront à chercher – ni plus ni moins la gloire, la reconnaissance, voire le prestige. Pourquoi? Pour la simple raison que chaque déterminisme est marqué au sceau d'un standard de réussite élevé dont seuls quelques privilégiés pourront se prévaloir, ce qui conduit inévitablement l'enfant tout comme l'adolescent à une série de **contraintes**[18]. Le désir de gloire n'est pas près de s'éteindre. La reconnaissance de ses pairs et les applaudissements du public sont des récompenses dont

---

18. *Le réseau de contraintes enveloppe l'individu de plus en plus tôt.*

on ne se lasse pas. Mais cette position, exacerbée au milieu du XXe siècle par la naissance de l'opinion publique, se heurte à d'autres, anciennes ou nouvelles. Parmi les premières, la jalousie de ses rivaux, toujours prompts à mettre un bémol à la jouissance d'un succès. Éphémère, parfois amère, la gloire de l'enfant est sans contredit à reconquérir. Et cette reconquête est chaque fois plus difficile.

Pourquoi en sommes-nous arrivés à aduler ce qui apparaît dans les médias ou autres événements télévisuels? Tout simplement, parce que être aimé, être apprécié de sa mère, de son père, de son frère, de sa sœur, d'un ami ou d'un voisin ne suffiront pas ou peu à combler cette hantise que nous sommes devenu le héros, le convoité, le glorieux. Quelle angoisse, n'est-ce pas? Cette notion du vedettariat développe son emprise à tel point qu'elle élimine à elle seule tous les principes moraux. L'éthique n'intéresse plus personne, et la morale, on s'en fout! Nous ne voulons que prendre, arracher à l'autre ce qu'il a de meilleur pour faire croire aux autres que ça vient de nous. Comme des victoires sans effort.

Nous importons des choses qui viennent d'ailleurs et cela dans plusieurs secteurs de la vie, comme si c'était mieux, comme si c'était vrai, comme si c'était notre réalité. Nous parachutons des émissions, des coutumes, des mythes... Serait-ce pour mieux exprimer ce que nous sommes? J'en doute fortement! Nous commettons une grave erreur en plagiant ce qui appartient à un autre. Mais au fond, au plus profond de nous-mêmes, nous savons bien que ce n'est pas de nous qu'il s'agit mais de quelqu'un d'autre. Nous copions des auteurs, des acteurs, des artistes, des poètes, des intellectuels, des philosophes, des peintres et autres grands de ce monde. Il n'y a pas grand-chose qui découle de nos drames, de nos efforts, de nos émotions... seulement des copies, des traductions, des truquages... Quelle ignominie! Les jeunes d'aujourd'hui n'ont plus en adoration ou en mémoire leur parent, mais un quelconque artiste de scène aux montures «métalliques».

Toutes les personnes prétendent se faire elles-mêmes sans l'aide des autres, mais tous se pillent et se dévalisent effrontément : styles de vie, manières de se vêtir, de parler, mœurs amoureuses, goûts culturels... On ne s'invente jamais sans s'affilier à des standards dont on s'arrache peu à peu comme d'une gangue. Se créer c'est d'abord copier : à chacune de mes pensées, chacun de mes gestes, j'expérimente l'empreinte d'autrui en moi. Chacun se rêve innovateur et se découvre suiveur, imitateur.

Les jeunes ont été élevés par des parents qui leur ont dit : «Moi, ta mère, moi, ton père, nous écoutons la télévision; alors, si tu veux qu'on te regarde, tu n'as qu'à passer à la télé.» Ne croyez surtout pas que j'exagère; au contraire, toutes les manifestations de la vie aujourd'hui sont le reflet d'une pléiade de comportements qui nous sont présentés à travers des images. La plupart des adolescents ne s'intéressent qu'à ce qui se passe à la **télévision**[19], voire à la **télé-réalité**[20] (*Star académie, Loft Story, Palmarès, La fureur, Occupation double*) et espèrent pouvoir à leur tour monter sur scène. À quoi rêvent les adolescent(e)s? À quelles Claudia, Cindy, Kate, Tatiana, Yasmeen, Naomi, Mallory et autres Ophélie aux suaves prénoms d'improbable provenance? Ces *top models* ont à leur dévotion non seulement la télévision, les magazines de grande diffusion, mais jusqu'à une presse entièrement dévolue à leur gloire. Est-ce le rêve de nos filles que d'appartenir un jour à l'Élite (du nom de l'une des plus fameuses agences de mannequins) et de posséder une silhouette d'une finesse extrême : 1,80 m, 90 (mieux : 95), 60, 90? Il n'y a que la peau, que la minceur, que l'image, en un mot de l'illusion, dans un «monde désenchanté» (selon le mot de Marcel Gauchet) par les déprédations, les exactions et les turpitudes de l'homme. Désormais, nous sommes d'abord ce que nous désirons : des objets, des styles de vie, des copies, des expériences.

---

19. *La bombe télévisionique a explosé : plus personne ne lit à la fenêtre, ne sait écouter la musique dans l'obscurité ou regarder le plafond en se demandant s'il peut rêver éveillé. La culture du spectacle est devenue un déluge, elle a submergé la culture des choix existentiels. La télévision déjoue les attentes de contenu en se détournant temporairement de l'objet, en investissant des lieux, en suscitant des attitudes, en suggérant que chacun d'entre nous saura réinventer ses relations avec autrui, son rapport au monde et à lui-même. La télévision à grande échelle s'adresse à un spectateur souverainement installé pour la contempler, elle cherche aussi à prendre en charge toute son attention par une série d'encadrés. Une façon insidieuse de nous réjouir. La télévision tout entière devenue un œil qui ne voit rien mais qui nous tient prisonniers dans une vitrine qui se dit intelligente.*

Le sociologue David Le Breton a écrit un ouvrage au titre-programme *L'Adieu au corps* (Métailié, 1999), dans lequel il décrit les différentes façons par lesquelles le corps est aujourd'hui finalement condamné à disparaître. La chirurgie esthétique, le culturisme, le despotisme du régime alimentaire, la cyberculture et bien d'autres pratiques toujours plus répandues convergent vers ce résultat : jamais autant qu'aujourd'hui les humains n'ont martyrisé leur propre corps, jamais ils n'ont autant souffert psychologiquement à cause de lui, et cela, au nom d'une normalité de jeunesse, de beauté et de plaisir. Un rappel est plus que justifié de dire que si la chorégraphie contemporaine exhibe toujours davantage la nudité des corps, c'est moins pour en montrer la beauté ou l'érotisme que pour exalter (ou dénoncer) la fragilité.

J'aimerais insister sur le niveau de bonne santé psychologique élevé que requiert aujourd'hui la vie dans une grande cité, sort de la majorité de nos enfants : être chaque jour capable de faire de nouvelles connaissances, de repérer des amis ou des amours

---

20. *Pour reprendre les propos d'Olivier Razac, auteur du livre* L'écran et le zoo *(Denoël, 2002) : « Le problème posé par la télé-réalité n'est pas essentiellement esthétique ou moral, il est éthique. La télé-réalité n'est pas un simple effet de mode. Elle est un dispositif de contrôle social voué à s'installer. Disons-le brutalement, la télé-réalité fonctionne comme un zoo. On y montre des spécimens, c'est-à-dire des échantillons qui représentent des espèces... La télé-réalité pose avec une force inédite un autre problème : la puissance de l'opinion de la foule, qui empêche tout individu de trouver sa puissance propre. Il ne suffit pas de casser la télé, ce sont nos identités fabriquées à la chaîne qu'il faut briser. C'est avec nous-mêmes qu'il faut prendre des distances. »*

potentiels au milieu de la multitude, d'affronter des visages par centaines, de convaincre de sa valeur un employeur ou un futur conjoint, tout en travaillant à un rythme soutenu dans un environnement où le changement est le mot le plus souvent utilisé. Malheur aux timides, aux anxieux, aux moroses, si nombreux pourtant! Nous semblons dessaisis de nous-mêmes par un enchaînement de forces sur lesquelles nous n'avons aucune influence. Jeté sur le pavé, l'individu se sent exproprié de lui-même. Gagné par la peur de passer inaperçu, il aspire contradictoirement à devenir tout. C'est à chacun désormais qu'est dévolue la tâche de se construire et de trouver un sens à son existence.

On peut dire que la recherche du **bonheur**[21] individuel s'est peu à peu substituée au sens du péché. «Épanouis-toi» a remplacé «Fais ton devoir». «Vivez intense» et non plus «Servez votre patrie». Cette valorisation de l'épanouissement personnel nous pousse à rechercher une vie plus libre et, en effet, plus intense ne serait-ce que dans le domaine amoureux, mais nous expose aussi à plus de frustrations et de déconfitures en tous genres. Nous aurons recours de plus en plus à une panoplie de services de psy pour nous aider à trouver l'épanouissement mais aussi à gérer la désillusion. Et que dire des besoins de ces chers petits, qu'on voulait autrefois avant tout «bien élevés» et dont on aimerait

---

21. *C'est pouvoir passer de l'enthousiasme à la déception, « être capable de l'un aussi bien que de l'autre, en ne s'enlisant d'aucun côté », écrit François Jullien dans son livre* Un sage est sans idée *(Seuil, 1998).*

aujourd'hui qu'ils sachent se défendre comme des loups dans la cour de récréation. Tout en restant relativement dociles à la maison. Les psys arrivent alors à la rescousse, et des collègues épuisés me confient qu'ils n'arrivent plus à accorder des premiers rendez-vous dans un délai décent. Faut-il se réjouir ou s'attrister d'y voir le signe d'une société où l'on ne peut survivre qu'en se soignant?

C'est seulement lorsque nous coulons à pic que nous voyons la normalité comme un effort continuel pour rester en surface. Il y a en effet une part de nous-mêmes où nous ne cessons de nous faire et de nous rassembler; c'est une zone non récupérée par notre conscience compte tenu de toutes ces images, voire ces opinions, qui viennent nous embrouiller l'esprit. Et c'est là que s'installe un blocage tel que l'enfant continuera à chercher à se fabriquer lui-même sous des formes détournées. Il y a une projection de l'enfant dans ce qu'il crée, comme s'il cherchait à s'incarner à tout prix dans une forme ou une autre. À nous, les parents, les éducateurs et autres accompagnateurs de dissocier ce qui appartient aux idées préconçues, aux images séductrices pour laisser place à la pensée collective, à la cohabitation de notions complémentaires, au questionnement. Notre conscience est saturée des séductions dont nous sommes l'objet. Nous accusons un éblouissement persistant. Nous soupçonnons notre bonne conscience, nous payons le prix de notre aveuglement, et ce n'est pas aux enfants d'en être les victimes.

Qu'est-ce donc qu'un enfant *sage*? Car c'est toujours à partir de là, de l'exploration de cette définition, que commence le véritable travail. Ce qui s'y découvre, très vite et toujours, c'est que l'enfant-roi a eu à son service des parents tellement soucieux de le séduire qu'ils ne lui ont jamais fixé la moindre limite. Il en a été conduit à se croire, à se sentir et à se penser comme le centre du monde, auquel le reste dudit monde est censé être asservi. L'autre n'a pour lui aucune existence réelle; tout au plus le cantonne-t-il à une fonction utilitaire et accepte-t-il d'en user à son unique profit. C'est comme s'il percevait les parents qu'il a eu à sa dévotion comme les têtes de file d'une humanité vouée à son service.

À l'inverse, l'enfant *sage* serait celui qu'une éducation de qualité aurait correctement inscrit dans le monde environnant, lui conférant la conscience de l'existence de l'autre et lui permettant de se percevoir suffisamment comme l'autre de l'autre pour accepter l'idée d'une loi qui régisse leurs rapports mutuels.

Sagesse[22]! Le mot fascine et agace. Sous ce terme se bousculent superbes banalités, marketing idéologique et contresens fumeux. Je tiens à préciser que la sagesse ne consiste ni à accumuler des connaissances ni à construire, plus ou moins habilement, de savants

---

22. «*Celui que l'on dit le plus sage, et qui l'est, est celui qui perçoit, dans les choses et leurs propriétés, ce qui est le moins perceptible. D'où le fait que ceux qui sont formés par le saint désir de la sagesse travaillent beaucoup à la compréhension des qualités cachées des choses.*» Al-Kindi

édifices théoriques, moins encore à spéculer systématiquement. L'apport des expériences tout comme les dualités dans lesquelles nous traversons notre vie doivent s'unir et viser l'amélioration et la réalisation de soi. Les enfants ont un besoin urgent de nouveaux repères basés sur la vérité, la tolérance et l'honneur. C'est-à-dire que nous ne disposons plus d'un discours qui, clefs en main, fournit une réponse apparemment cohérente à toutes les questions que l'on peut se poser. De sorte qu'il faut désormais construire le sens, le produire. Une mission que la plupart de nos intervenants, éducateurs et parents semblent avoir abandonnée. Je propose donc une trilogie de la sagesse qui se lit comme suit : rigueur, douceur, limite. À vous maintenant de les définir, de les polir et surtout de les appliquer dans un continuum au gré des passages de l'enfance à l'adolescence.

J'ai envie de vous répondre : le parent ce n'est pas celui qui est inspiré, c'est celui qui inspire ! Si l'inspiration est liée à la parole, elle l'est aussi à la rigueur, à la présence, à la disponibilité et à l'attention. Si la parole «inspirée» est la parole «présente», alors elle ne propose pas de réponse, elle demeure du côté de la question, de toutes les questions. Si sagesse signifie plus recherche qu'assise rassurante, si elle est plus questionnement que préceptes, si elle est plus du côté de donner l'exemple que de proposer des conseils, si elle accepte autant la sérénité que le vertige, autant l'accord que la révolte, alors la rigueur croise souvent sa route...

Ils n'ont pas été nombreux ceux qui, comme l'historien Philippe Ariès, nous prédirent la fin du règne de l'enfant. Le mythe de «l'enfant-roi», dont on peut se demander s'il n'a pas eu pour fonction première de cacher la réalité de l'enfant paria, a effectivement endormi les esprits. Jamais sans doute société n'a, avant la nôtre, considéré l'enfant avec une telle suspicion.

Avant de terminer ce chapitre, à vous maintenant de réagir à ce qui suit : il nous faut parvenir à comprendre pourquoi il nous est devenu «impossible» de vouloir encore des enfants. Et de nouveau, seule la comparaison avec les sociétés antérieures à la nôtre peut nous faire saisir le sens des grandes tendances qui la traversent.

Dans les sociétés traditionnelles, l'enfant représente pour ses parents non seulement la promesse qu'ils continueront à vivre à travers lui après leur mort, mais aussi la garantie qu'ils ne mourront pas de faim dans leur vieillesse. L'enfant dans les sociétés économiquement développées a perdu cette double fonction : nul ne croit plus à l'immortalité du nom et quant à la sécurité économique, elle est désormais assurée par l'État ou par les sociétés d'assurances. Non seulement l'enfant a été arraché au système économique, mais il constitue pour les acteurs du système un frein et un coût de plus en plus insupportables. La hantise de la «nouvelle bouche à nourrir» a toujours été davantage celle des riches, qui ne l'avaient, en réalité, pas à charge, que celle des pauvres. En d'autres termes, le capitalisme moderne a émancipé l'enfant pour finir par le réduire à une source de dépenses.

Réfléchissant sur la possibilité d'une morale d'obligation à l'égard des générations futures, Hans Jonas, dans *Le principe responsabilité* (du Cerf, 1990), fait observer qu'il existe un précédent qui pourrait jouer un rôle véritablement paradigmatique : la responsabilité sans réciprocité des parents vis-à-vis de leurs enfants. Or, c'est précisément cette responsabilité sans réciprocité qui est devenue de plus en plus insupportable à un nombre croissant d'individus. L'enfant est une somme de devoirs incarnés, et la plupart des droits ont basculé de son côté.

Si jadis les choses fonctionnaient tant bien que mal, c'était au double et lourd prix de l'hypocrisie des hommes et de la soumission des femmes. Dans l'enfant, les pères voyaient leur puissance et les mères leur bonheur. L'argent et le plaisir remplissent désormais ces deux fonctions. Et les hommes et les femmes sont de moins en moins disposés à sacrifier leurs plaisirs et leurs revenus pour un être avec qui ils ont de moins en moins de rapports et qui pour eux représente une source interminable de problèmes et de déconvenues.

Le capitalisme moderne, après avoir exploité le travail de l'enfant, le réduit à un rôle de consommateur. Arraché à la sphère économique, l'enfant finit paradoxalement par n'avoir plus d'autre sens qu'économique.

Jadis, dans l'Antiquité, les hommes pensaient à la gloire, à la renommée, c'est-à-dire à leur image rêvée sur fond de transcendance dans l'esprit des générations futures. La célébrité a constitué une première dégradation de la gloire : les dieux et le caractère mystérieux de l'avenir disparaissaient au profit d'une immanence purement humaine. Mais du moins la dimension du futur était-elle préservée. À présent, les jeunes se contentent de la popularité – peu importe qu'ils soient reconnus dans le futur, ne serait-ce que sous la forme de l'humble mémoire familiale, l'essentiel est qu'ils le soient dans la rue.

Pourquoi se perpétuer en grand nombre si le salut n'est plus dans la descendance mais dans la célébrité?

Le parent est angoissé et la culture occidentale, au lieu de l'aider à vaincre cette angoisse, ne fait que l'accentuer. Or le péché qui pénètre la vie privée n'est pas une maladie fatale et intrinsèque : c'est une corruption morale engendrée par le système mis en place dans le monde, qui nous pousse vers le relativisme total – il y a du bon dans tout – sinon vers la suppression de toute valeur. Voici le paradoxe des parents : la famille aspire à une certitude, à des valeurs sûres et incontestables qui assigneraient un sens à leur vie, en même temps que, proie à la puissance des forces extérieures, elle n'arrive pas à se donner des limites. Alors finalement, elle y renonce, elle se rend, à ne plus savoir qui elle est – tout au plus, elle constate qu'elle est un jouet, à moins qu'elle ne voie même pas ceci et existe sans vivre, comme un enfant-roi, cherchant lui-même à réduire sa vie à un jouet. L'enfant-roi met l'accent de sa vie sur la notion de recevoir estimant que c'est le seul but qui vaille la peine d'être poursuivi, se leurre de vivre une vie réelle, tandis que le plaisir des acquisitions cache l'évidence d'un vide et de la servitude matérielle. Il est dupe de ses propres illusions en croyant que plus il possède de biens, plus il se distingue des autres. La vanité, l'orgueil et la méchanceté s'installent dans son esprit, sans qu'il puisse reconnaître qu'il est lui-même à la merci du monde profane.

Sous l'effet de ce glissement, l'enfant-roi suppose qu'il domine les choses, tandis qu'en réalité, ce sont les choses qui règnent sur lui, elles «disposent» de sa conscience. L'enfant qui se subordonne aux choses est esclave de celles-ci. C'est un attachement à la dépendance, dans laquelle la conscience devient flexible sans même que l'enfant puisse s'en rendre compte.

Si le père ou la mère doit chercher une perfection qui le rendra de plus en plus heureux, ce n'est pas pour tomber dans la béatitude, mais pour se sauver, encore une fois, des pièges qu'il se tend. L'enfant-roi est issu de cet acharnement des parents dans l'atteinte excessive de la perfection.

Ce ne sont donc pas les diverses pratiques qui ont un sens et qui expliquent l'ensemble; c'est la relation authentique basée sur la **confiance**[23] qui donne aux

---

23. *Les enfants sont ainsi, ils vont vers les autres, mais si l'autre n'est pas bien intentionné, ils se révoltent.*

pratiques leur efficacité vraie. Si un enfant ne vit pas selon la poésie, s'il n'est pas mis en mouvement, ne chante pas et ne danse pas selon le rythme, il ne peut pas penser, parce qu'il ne peut pas sentir. Le sentir implique la discrimination, la saisie des différences. La sensation conjointe que l'on vit, le plaisir du sentir ensemble la vie, le besoin d'être avec pour se sentir **vivant**[24]. Pour y arriver, l'enfant aura besoin de compagnons fidèles : un peu de solitude, de manque, de privation. C'est bien dans la solitude, et à ses risques et périls, que l'on se dispose autrement.

Plus l'enfant se libère des liens matériels, figés par les habitudes, c'est-à-dire plus il ose l'indépendance à l'égard de toutes ces certitudes ou plus il s'isole dans le vide de l'incertitude, plus alors il permet à la multitude des liens nouveaux de se faire jour. La vie qu'il connaît alors se remplit des connexions qui l'envahissent; il y participe et, par là même, il les produit.

Quand on pratique la rigueur,

chaque jour on accumule.

Quand on pratique la facilité,

chaque jour on en fait moins.

---

24. *Les enfants sont de leur vivant méconnus au profit de futilités éphémères et, comme l'a écrit Léo Ferré, auteur-compositeur-interprète, « la lumière ne se fait que sur les tombes. »*

Ma réflexion sur l'enfant-roi est d'abord un hommage à sa mutabilité. Je participe ainsi à une tâche qui n'aura jamais de fin. La vie de l'enfant-roi est un défi aux lois de la probabilité : on ne pourra jamais extraire de son contexte assez de faits pour l'expliquer entièrement.

Les parents auront à répondre tout au long de leur vie à ce paradoxe intransigeant : «Mon erreur, avoue-t-il, fut de me confier exclusivement aux arbres de ce qui me semblait le côté ensoleillé du jardin et de fuir l'autre côté à cause de ses ombres et de son obscurité.» Et il ajoute cette phrase, qui revient chaque jour nous hanter : «Le vice suprême est la superficialité. Tout ce dont on prend conscience est bien.» Oscar Wilde, *De profundis* (1897)

Pour ne pas conclure

« *Fie-toi librement
à tes sens. Par eux
rien de faux ne
survient si l'esprit
est éveillé.* »

GOETHE

(1749-1832)

Ni trop près, ni trop loin! Ni trop tôt, ni trop tard! Trop de facilité! Trop d'encadrement! Entre les gestes (protection et surprotection), entre les mots (liberté et contrainte)! Oser interdire! Juste comme il faut. Juste quand il faut, en mettant la voix, le regard, les mains à l'unisson avec le bon usage, le bon dosage. Ce qui est rare. Unique, même! Être là est une chose, être à l'écoute en est une autre! La présence ne se lit pas par la quantité de temps dont on dispose avec l'enfant, mais bel et bien selon sa qualité (la justesse des mots, apprendre à se connaître, la poésie des sons, le plaisir d'être là). Au cours de l'ouvrage, il est apparu que l'enfant-roi était constitué par une polarité aussi irréductible qu'instable; il oscille incessamment entre un élan dominateur et une exaltation à contredire tout ce qui lui fait défaut ou vient à l'encontre de ses propres besoins, de ses propres désirs.

Être parent ne veut pas dire particulièrement goûter la douleur, mais simplement prendre la vie dans tout son relief. On ne peut dire oui à toutes les turbulences des enfants. Si vous choisissez de fuir, alors vous serez rattrapé par la crainte. Dans ce livre, les parents ont été conviés à déplier leur malaise, leur intolérance, leur incapacité. Il suffit pour cela qu'ils remettent en question la distinction établie entre ce qui relève de la facilité et ce qui n'en relève pas. Cette indifférence nouvelle à l'égard des grandes questions (l'éducation, la famille, les valeurs, le sens de la vie, la solidarité, la communauté) libère aussi bien des grandes réponses.

Nous sommes habitués à penser que l'enfant ne peut s'épanouir que dans une atmosphère d'écran, de clavier, d'images ou de marques vestimentaires. Prononcer des mots aussi terribles que *devoir, norme, responsabilité, contrainte, effort* paraît choquant ici, au sein de cette vie qui offre les délices de la consommation, des apparences sur mesure et des objets raffinés. À chaque instant, il est nécessaire de renouveler une perpétuelle vigilance. L'abondance en tout nous fait oublier incessamment l'essentiel des petites choses. Mais il n'est pas toujours donné de savoir

> *Faire de la poésie,*
> *c'est se confesser.*
>
> FRIEDRICH KLOPSTOCK
> ==============
> (1724-1803)

exactement où se trouve la norme. On doit souvent, comme parent, enseignant, éducateur, institution, etc., tâtonner dans l'obscurité. Une multitude de forces pèsent sur notre vie. La navigation serait aisée si, à partir d'un seul principe général, on pouvait déduire automatiquement toutes les décisions à prendre.

Sachez que les enfants auront toujours quelques reproches à balancer au visage des parents ou de la communauté, ce qui m'incite à rappeler qu'il devient impératif de ne pas prendre leurs critiques comme des vérités. Tout faire pour eux, c'est aller droit vers l'incapacité de dire non et inévitablement se porter acquéreur de la culpabilité. Leurs mécontentements, leurs blâmes, leurs remontrances sont issus de diverses souches qui relèvent en partie de situations familiales, mais aussi de considérations sociales, scolaires, médiatiques, pour ne nommer que celles-ci.

Les parents modèles ne sont pas ceux qui se hissent jusqu'à ces grandes questions, mais ceux qui les mettent en défaut. Ce qu'a tenté de mettre en valeur ce présent ouvrage n'est rien d'autre que l'idée fixe de la facilité, de la complaisance, de la certitude. Surviennent alors toute une série d'attitudes qui renouvellent notre perception des enfants. Par exemple, l'obsession «de tout avoir» peut être une manière de reconnaître ce qui dépasse notre vouloir, nos besoins, nos attentes. Cette insouciance met en sourdine l'intentionnalité; elle donne l'occasion aux choses de nous affecter. Il faut expliquer aux enfants, aux adolescents de ne pas toujours vouloir savoir, obtenir, réussir; de ne pas toujours s'approprier le nouveau costume, la nouvelle marque, le dernier jeu vidéo, mais de prendre le temps de lire, d'écrire, de penser, de jouer dehors, de se soucier des autres. Voilà les enjeux auxquels les parents sont invités à convier leurs enfants, sans attendre.

Redevenir des enfants, c'est avoir le courage de surmonter l'obsession du prêt-à-porter, du beau, du chic, du meilleur, qui caractérise notre société. Il faut arriver à se désengager de son ambition de gloire pour pouvoir s'engager dans des cheminements plus modestes.

14

Les jeunes ont besoin de modèles familiaux qui valorisent la simplicité, l'effort, la transparence, la convivialité. Leur sac à dos doit être rempli de valeurs, d'affection et d'attention et non pas d'objets trop lourds, car ils ne pourront marcher très loin! Nous sommes actuellement plus conscients du fait que la majorité des enfants ne bougent plus. Serait-ce dû à la lourdeur ou à la trop grande quantité des objets qui environnent nos enfants? Ils ont converti l'effort en paresse. Ne cherchons pas d'excuses, ni de coupables. Les responsables sont nombreux; les conséquences dépassent largement le département de la santé; elles coïncident également avec une plus grande fragilité sur le plan mental, social et affectif.

> *Toutes les actions sont égoïstes, motivées par l'intérêt.*
>
> KARL POPPER,
> *LE RÉALISME ET LA SCIENCE*
> (1989)

Pour des parents avertis, l'accent se déplace et la patience devient une ressource de l'attention et de l'exemple. Revoir nos priorités comme parents, c'est déjà un pas dans la bonne direction. L'épreuve que doivent soutenir les parents, les enseignants, les éducateurs ou toute personne responsable d'un enfant n'est pas d'être au-dessus de la mêlée, mais d'être en prise directe avec les circonstances, d'en appréhender les données, voire simplement de savoir faire équipe pour découvrir des connexions inédites.

ENFANT-ROI, TOUT, TOUT DE SUITE!

Cette nécessité de solidarité entre les personnes concernées est précisément ce qui fait différer l'acte de connaître de la recherche d'une certitude. Il n'est pas question de savoir qui a tort ou raison, car le recours à la certitude n'est rien, sinon l'expression virulente d'une impatience à l'égard de tout ce qui résiste à l'appropriation. Nous devons avoir de nous une opinion suffisamment éclairée et supporter le doute plutôt que de vouloir trop vite une certitude. Se raccrocher à des généralités vides dispense de chercher des prises. Par exemple, quel est ce besoin insidieux de plaire et d'enrouler les enfants dans la ouate? Quelle insouciance! Laissez-les chercher, fouiller, gratter... se ramasser, se défendre, se propulser pour qu'ils puissent par eux-mêmes affronter, confronter les réalités de l'existence. Que les verbes puissent contenir des élans de leur propre initiative. Cessons d'être là au moindre cri, au moindre pleur. Les parents n'ont pas à tout justifier, à analyser et à satisfaire leur tout-petit à n'importe quel prix.

L'enfant-roi est animé de bout en bout par une fureur de consommer, d'assommer les interdits, de casser les règles, et c'est cette logique qui condamne le monde des jeunes (voire de nombreux adultes) à sombrer dans la décadence.

L'effort que consacrent les esprits à s'abrutir fait écho au travail déterminé par la seule contrainte économique. Dans la mesure où il est pris dans le cercle logique de l'argent, l'enfant, tout comme l'adulte, s'instruit par le biais de la performance, de l'ego, du pouvoir. D'ailleurs, abrutissement ou agitation sont finalement un tout: la fuite. Les parents et le monde qui entourent de près ou de loin les enfants se doivent d'être conscients, informés et capables de discernement, car une telle attitude d'évasion risque d'inviter plusieurs générations d'enfants à l'ultime conséquence du nihilisme, à cet état décadent où même la volonté de néant s'est épuisée, où la lassitude envahit et nivelle tout.

La vacuité est un moment de liberté gagné sur le mouvement perpétuel de l'accumulation. Il ne faudrait pas se conformer au temps effréné de la consommation ou des exigences toujours plus à la hausse, mais produire des dérangements et éveiller nos jeunes à l'importance de supporter le vide.

Les cœurs simples se défont des attraits du beau, délaissent les individus trop superficiels, s'éloignent de ceux qui critiquent et jouent leur jeu dans un défi innocent. Et si nous pouvions apercevoir la race humaine en une seule image, elle apparaîtrait comme de petits enfants gambadant ensemble, même si aux yeux

Partout on dit que c'est épouvantable mais, concrètement, on ne fait rien. Arrêtons de pleurer sur le sort des enfants et agissons.

ANDRÉE RUFFO,
JUGE À LA CHAMBRE DE LA JEUNESSE DE LONGUEUIL

de l'humanité en général, les enfants sont reconnus seulement par leurs exploits et leurs œuvres.

Mettons donc l'accent sur la gaieté, l'humour, le rire et ce sera mieux. Un enfant «égaré» ou, dans ses propres mots: «je ne sais pas», «je ne sais plus» est un jeune en santé. Avoir toujours raison n'est pas un égarement, mais plutôt une envie de manipuler, de circonscrire ceux qui tentent de nier ou de dire simplement le contraire. Si nous étions foncièrement honnêtes, nous ne chercherions, dans tout débat, qu'à faire surgir la vérité. Hélas, dans la confusion de nos propres dires, nos propres savoirs, nos propres ressources, nous n'arrivons plus à démêler le vrai du faux et le faux du vrai. Dans de telles circonstances, les enfants profitent de l'ambiguïté, de l'impasse et de l'inertie des adultes pour créer en eux une telle confusion que ceux-ci finiront par répondre dans l'affirmative à leurs demandes. Les parents angoissés, terrorisés, intimidés abandonnent ou encore, par ressentiment, par peur, se retirent, se referment, se conditionnent à pencher vers la facilité, le confortable pour ne rien déranger.

Mieux que l'amour, l'argent et la gloire, donnez-leur la vérité. Le style, la grande maison, les jouets et les

> *Nous estimons trop peu ce que nous obtenons trop aisément.*
>
> THOMAS PAINE
> ═══════════
> (1737-1809)

cadeaux ne sont d'aucun secours pour eux. Mais leur apprendre l'hospitalité, la courtoisie, la tolérance, la bonté et l'humilité les ramène à l'essentiel. Le succès n'est pas tout. Il y a l'agitation et il y a la fidélité. Il y a les prouesses de certains et il y a les silences des absents. L'enfant vit trop d'inquiétude. Il est tellement éparpillé qu'il ne peut rien apprécier. Il a besoin de choses concrètes, de continuité, d'authenticité qui pourraient marquer ces prochaines années. Un jouet ne dure pas plus que le temps de s'en lasser (après usage, il est encore neuf). Si nous laissons l'enfant continuellement dans la maison, il se remplit d'une pollution silencieuse; ses sens se détériorent et les muscles de son corps s'atrophient. Quel dommage!

Une histoire vraie racontée par la mère ou le père reste pour l'éternité. Des mains qui touchent les enfants, des caresses qui enveloppent leurs épaules, du temps pour eux, c'est autant d'attention qui restera gravée dans leur mémoire pour la vie. Les

Je suis moi dans la seule mesure où je suis responsable.

EMMANUEL LEVINAS

enfants protestent contre l'oubli des parents qui engloutit tant de vies précieuses.

Pour ne pas conclure, je vous laisse avec ces dernières phrases, car sur le sujet de ce livre, il est impossible de trouver les mots de la fin. Rien ne peut être dit avec assez de raffinement et d'exactitude pour contenir tous les propos qui englobent cette réalité. L'enfant-roi, de par sa façon bien à lui de nous casser, de nous manipuler, de nous dire: «interdit d'interdire», tente de nous exprimer une multitude d'émotions qui trouvent preneur dans ses maladresses, ses apparences, ses abondances. N'essayons pas d'identifier quelles en sont les causes. Bien au contraire, c'est à chacun d'entre nous, comme adulte, comme parent, comme enseignant, comme éducateur, dans le quotidien de nos actions, de rétablir une distance respectueuse dans nos manières d'être et de faire. Le courage ne suffit pas. L'expérience n'est qu'une composante additionnelle. La démission de tout esprit critique est condamnée. Par la complicité de tous les intervenants, nous pourrons, peut-être, mieux saisir les mots, les gestes et les intentions qui devront être déposés dans le cœur de chaque enfant. La pluralité des opinions est tout à fait admise. Notre ignorance a assez duré. Notre indifférence ne peut plus être tolérée. Autrement dit, c'est l'idée, la représentation de l'enfant-roi qui nous fait souffrir, bien plus que l'enfant lui-même. Rapprochons-nous collectivement de cette réalité, et parlons-en ouvertement sans censure, sans remords et sans reproches.

Chers lecteurs, à vous d'agir maintenant en famille ou en groupe pour vivre différemment, peut-être, ou pour vous rapprocher tout simplement et construire autour de mots nouveaux, de proximité et d'espoirs renouvelés. Il faudra du courage et de l'audace pour exprimer les limites dans lesquelles vous consentirez à vivre le noyau familial dans le respect de chacun sans pour autant changer qui que ce soit, mais pour apprécier les différences. Ne serait-ce que d'améliorer la relation, la façon de dire les choses, se donner cette distance comme parent lorsque tout semble trop accablant, ne pas toujours inclure les enfants dans vos propos, ne pas toujours parler en présence des enfants, s'approprier du temps de qualité avec eux sans pour autant négliger du temps pour soi, ne pas ignorer les silences, etc., déjà, ce serait merveilleux! Mais, comme je le disais plus tôt dans ce livre, la culpabilité a pris trop de place. On a donc cherché à la nier, à s'en débarrasser comme d'un fardeau trop pesant, et la conséquence en a été que, dans le même mouvement, on a oblitéré le mal. Aujourd'hui, dans notre société, plus personne n'est coupable. «Il y a du bon dans tout!», à elle seule, cette pensée fait actuellement des ravages parce qu'elle rend les gens irresponsables et surtout ne leur fait rechercher que la facilité. Pourquoi tant d'aveuglement ou de confusion?

Essayons seulement d'éliminer le superflu. L'enfant vit aujourd'hui sous le signe d'une *menace* que lui fait courir la démesure même de son pouvoir sur les choses. Nous avons besoin de vous! Nous sommes en train de perdre toute une génération d'enfants au profit d'une chaîne de montage médiatique, consommatrice, parabolique et décidément de plus en plus individualiste.

Agissons ensemble et proposons un marché, un compromis raisonnable, un projet, puisque les enfants sont à l'aise avec ces énoncés, dans un continuum où leurs ambitions ne rejoignent pas seulement une partie de leur personnalité, mais permettent à l'intégralité de leur âme de s'épanouir. Que les mains, les pieds et la tête de nos enfants s'actualisent pour s'assurer de développer de nouveaux talents tant sur le plan personnel que professionnel! L'international les intéresse, les emplois bien rémunérés aussi, les grandes explorations parcourent leurs terminaisons nerveuses. Ils ont appris tout cela de leurs parents, mais aussi par une série de commodités technologiques, télévisuelles et médiatiques. Soyons là aussi pour leur rappeler l'importance de la communauté, du bénévolat, du souci d'autrui, car il arrive un moment dans notre vie d'adulte où nous sommes en harmonie avec nous-mêmes par ce que nous donnons, par notre présence aux autres. Et n'oubliez jamais cette affirmation: «Je suis responsable de moi, certes, mais aussi de l'Autre.»

Pour terminer, avez-vous remarqué que la plupart des auteurs cités dans l'index des noms remontent à plusieurs années, voire des siècles? Comment se fait-il que ces pensées ont été échappées, voire oubliées? Pourquoi ces réflexions aussi précieuses qu'utiles se sont-elles envolées? Mais non, nous avons plutôt choisi librement de nous asseoir confortablement sans nous questionner, sans nous soucier des autres, une sorte d'inertie se résumant à de l'indifférence. Nous fêtons la gloire de l'ignorance, de la plainte, de la certitude au détriment du rassemblement de nos incohérences pour les partager avec ceux qui pourraient peut-être nous éclairer, nous faire cheminer. La mémoire ne peut se rappeler que si elle exprime pleinement ce qu'elle lit. Alors, à la suite de cette lecture, je vous invite donc à partager des propos qui vous ont marqués et qui incitent à la réflexion. Mon souhait le plus cher: que l'audace de vos actions ou de vos intentions puisse rapprocher la rigueur et la facilité (elles ne peuvent être séparées) afin que vos enfants bénéficient d'un encadrement plus approprié pour les défis qu'ils auront à affronter.

Ouvrages consultés

ARPIN, Roland. *Une école centrée sur l'essentiel*, Les grandes conférences, Montréal, Fides, 1995, 46 p.

ASHNER, Laurie et MEYERSON, Mitch. *Ces parents qui aiment trop*, Montréal, Alain Stanké, 2000, 455 p.

BETTELHEIM, Bruno. *Pour être des parents acceptables*, Paris, Robert Laffont, 1988, 400 p.

BIRNBAUM, Antonia. *Nietzsche : Les aventures de l'héroïsme*, Paris, Payot & Rivages, 2000, 290 p.

BOYD, William. *Brazzaville plage*, Paris, du Seuil, 1991, 369 p.

BRACONNIER, Alain. *L'adolescent aux mille visages*, Paris, Odile Jacob, 1998, 265 p.

CAMUS, Renaud. *Éloge du paraître*, Paris, P.O.L, 2000, 107 p.

CORNU, Geneviève. *Sémiologie de l'image dans la société*, Paris, Organisation, 1990, 160 p.

De KONINCK, Thomas. *De la dignité humaine*, Paris, PUF, 1995, 226 p.

DE KONINCK, Thomas. *La nouvelle ignorance et le problème de la culture*, Paris, PUF, 2000, 203 p.

DELAROCHE, Patrick. *Parents, osez dire non !*, Paris, Albin Michel, 1996, 250 p.

DOLTO, Françoise. *La cause des enfants*, Paris, Robert Laffont, 1985, 604 p.

DOLTO, Françoise et TOLITCH-DOLTO, Catherine. *Paroles d'adolescents, ou le complexe du homard*, Paris, LGF, 1997, 186 p.

DREIKURS, Rudolf. *Le défi de l'enfant*, Paris, Robert Laffont, 1972, 299 p.

ETCHEGOYEN, Alain. *La valse des éthiques*, Paris, François Bourin, 1991, 244 p.

FÉNELON. *Traité de l'éducation des filles*, Paris, d'Aujourd'hui, 1983, 184 p.

FERRO, Marc et JEAMMET, Philippe. *Que transmettre à nos enfants?*, Paris, du Seuil, 2000, 225 p.

FERRUCCI, Franco. *Lettre à un adolescent sur le bonheur*, Paris, Arléa, 1995, 125 p.

FERRY, Luc et VINCENT, Jean-Didier. *Qu'est-ce que l'Homme ?*, Paris, Odile Jacob, 2000, 297 p.

GANDHI. *Tous les hommes sont frères*, Paris, Gallimard, 1970, 300 p.

GAVARINI, Laurence. *La passion de l'enfant*, Paris, Denoël, 2001, 415 p.

GIBRAN, Khalil. *Le jardin du prophète*, Paris, Casterman, 1979, 75 p.

GIRARD, René. *La violence et le sacré*, Paris, Grasset, 1972, 496 p.

GOETHE. *Les souffrances du jeune Werther*, Paris, Gallimard, 1954, 173 p.

GRIMALDI, Nicolas. *L'homme disloqué*, Paris, PUF, 2001, 112 p.

GROULT, Benoîte. *Les vaisseaux du cœur*, Paris, Grasset et Fasquelle, 1988, 249 p.

HALL, T. Edward. *La danse de la vie*, Paris, du Seuil, 1984, 282 p.

HARRIS RICH, Judith. *Pourquoi nos enfants deviennent ce qu'ils sont*, Paris, Robert Laffont, 1999, 479 p.

HESSE, Hermann. *Narcisse et Goldmund*, Paris, Éditions Calmann-Lévy, 1948, 252 p.

KUNDERA, Milan. *La lenteur*, Paris, Gallimard, 1995, 154 p.

KUNDERA, Milan. *La plaisanterie*, Paris, Gallimard, 1968, 480 p.

LA BOÉTIE, Étienne de. *Le discours de la servitude volontaire*, Paris, Payot, 1976, 336 p.

LABORIT, Henri. *Éloge de la fuite*, Paris, Gallimard, 1976, 186 p.

LEGRAIN, Danièle et MESSERSCHMITT, Paul. *L'enfant déprimé*, Paris, Fayard, 2000, 335 p.

LEVINAS, Emmanuel. *Éthique et infini*, Paris, Fayard, 1982, 144 p.

LIEBERMAN, Alicia. *La vie émotionnelle du tout-petit*, Paris, Odile Jacob, 2001, 300 p.

LUSSATO, Bruno. *La troisième révolution*, Paris, Plon, 1999, 211 p.

MASLOW, Abraham. *Vers une psychologie de l'être*, Paris, Fayard, 1972, 254 p.

MEMMI, Albert. *La dépendance*, Paris, Gallimard, 1979, 204 p.

MONTAIGNE, Michel de. *L'éducation des enfants*, Paris, Arléa, 1999, 92 p.

MORIN, Edgar. *Les sept savoirs nécessaires à l'éducation du futur*, Paris, du Seuil, 2000, 130 p.

ORNSTEIN, Robert et SOBEL, David. *Les vertus du plaisir*, Paris, Robert Laffont, 1992, 278 p.

PELLETIER, Michel-Louis. *Le dialogue parent-enfant*, Montréal, Carte Blanche, 2001, 271 p.

POLLACK, William. *De vrais gars*, Varennes, AdA, 2001, 630 p.

REEVES, Hubert. *Intimes convictions*, Montréal, Stanké, 2001, 115 p.

RENDERS, Xavier. *Enfance, santé mentale et société*, Recueil d'articles publiés. Paris, Académia-Érasme, 1994, 169 p.

RIFKIN, Jeremy. *L'âge de l'accès*, Montréal, La Découverte/ Boréal, 2000, 341 p.

RILKE, Rainer Maria. *Lettres à un jeune poète*, Paris, Gallimard, 1993, 163 p.

ROUSSEL, Louis. *L'enfance incertaine*, Paris, Odile Jacob, 2001, 300 p.

ROUSTANG, François. *La fin de la plainte*, Paris, Odile Jacob, 2000, 253 p.

SOLAL-COHEN, Julien. *Au début de la vie psychique : le développement du petit enfant*, Paris, Odile Jacob, 1999, 384 p.

TAYLOR, Charles. *Grandeur et misère de la modernité*, Québec, Bellarmin, 1991, 150 p.

THOMAS, Chantal. *Comment supporter sa liberté*, Paris, Payot & Rivages, 2000, 149 p.

VANEIGEM, Raoul. *Avertissement aux écoliers et lycéens*, Paris, Mille et une nuits, 1995, 80 p.

WEIL, Simone. *La pesanteur et la grâce*, Paris, Plon, 1988, 205 p.

ZARIFIAN, Édouard. *La force de guérir*, Paris, Odile Jacob, 2001, 180 p.

Index des noms cités